마당을 나온 암탉

마당을 나온 암탉

황선미 지음 | 김환영 그림

사ㅁ계절

꿈이란, 내가 이루어 내는 기적

폐가 나빠서 날마다 약을 먹고 주사를 맞아야 하는 아이가 있었답니다. 깡말라서 더 길쭉해 보였던 그 아이의 꿈은 군인이 되는 거였어요. 군인이 못 되면 경찰이나 형사가 되고 싶었어요. 오래 걷지도 못하는 말라깽이가 어울리지도 않는 소망을 간직한 거예요.

왜 그랬을까요? 아주 강한 사람이 부러웠던 거예요. 자기가 너무나 약하다는 걸 알기 때문에 절대로 쓰러지지 않을 것 같은 사람을 동경하게 된 것이지요. 꿈은 그렇게 시작돼요. 도저히 이루어질 수 없을 것 같은 바람을 가슴에 간직하는 것, 혼자 있어도 외롭지 않게 하는 신비로운 힘. 그게 바로 꿈이랍니다.

닭장에 갇힌 암탉 잎싹도 결코 이루어질 수 없을 것 같은 꿈을 꾸었어요. 그래서 고통을 겪고 들판에서 족제비에게 죽임을 당하지요. 그러나 비참하지 않은 죽음입니다. 꿈을 간직하고 살아서 아름다워질 수 있었고, 당당해질 수 있었기 때문이지요. 꿈을 이룬다는 것은 기적이나 마찬가지예요. 하느님이 아니라

내가 이루어 내는 기적. 그래서 꿈을 이룬 사람은 아름답고 자유로워 보인답니다.

　나는 소망을 간직한 삶과 자유에 대해 고민하면서 이 작품을 써 나갔어요. 그러면서 어렸을 때부터 간직해 온 꿈에 얼마나 다가갔나 생각해 보았어요. 군인보다, 경찰이나 형사보다 강한 사람이 되는 꿈을 나는 아직도 잊지 않았거든요.

　여러분은 어떤 꿈을 간직하셨나요? 몇 번째 바뀐 꿈인가요? 괜찮아요. 꿈이 자주 바뀌는 건 세상에 대해 궁금한 게 많다는 뜻이니까요. 희망과 용기를 잃지 않았다는 증거니까요. 지금 생각에는 도저히 이룰 수 없을 것 같은 꿈일망정 멋진 꿈을 간직한 어린이가 많았으면 좋겠어요. 그리고 어른이 되어서도 잊지 않았으면 좋겠어요. 꿈을 간직한 사람은 언제나 세상의 주인공이랍니다.

2000년 5월에

황선미

차 례

알을 낳지 않겠어!

방금 낳은 알이 굴러 내려 철망 끝에 걸렸다. 잎싹은 핏자국이 약간 있고 윤기 없는 알을 슬픈 얼굴로 바라보았다.

잎싹은 이틀 동안 알을 낳지 못했다. 그래서 결국 알을 못 낳는 암탉이 된 줄 알았다. 하지만 오늘 또 낳고 말았다. 그것도 작고 볼품없는 알을.

'이런 일은 두 번 다시 없을 거야.'

주인 여자가 이런 알도 가져갈까? 알이 점점 작아진다고 불평하면서도 꼬박꼬박 꺼내 갔으니 볼품없다고 남겨 두는 일은 결코 없을 것이다.

오늘은 서 있는 것조차 힘들었다. 먹은 것도 없이 알을 낳았으니 당연했다.

'뱃속에 알이 몇 개나 더 남았을까? 이게 마지막이었으면……'

잎싹은 한숨을 쉬며 밖을 보았다. 닭장 철망 속에서나마 잎싹은 밖을 내다볼 수 있다. 문 쪽에 살기 때문이다. 양계장 문이 잘 맞지 않아서 언제나 문틈으로 아카시아나무가 보였다. 잎싹은 그 사실이 더없이 좋았다. 그래서 겨울에 찬바람이 들이치고, 여름에 비가 들이쳐도 군소리 없이 견디며 살아왔다.

잎싹은 난용종 암탉이다. 알을 얻기 위해 기르는 암탉이라는 말이다. 잎싹은 양계장에 들어온 뒤부터 알만 낳으며 일 년 넘게 살아왔다. 돌아다니거나 날개를 푸덕거릴 수 없고, 알도 품을 수 없는 철망 속에서 나가 본 일이 없었다. 그런데도 남몰래 소망을 가졌다. 마당에 사는 암탉이 앙증맞은 병아리를 까서 데리고 다니는 것을 본 뒤부터였다.

'단 한 번만이라도 알을 품을 수 있다면. 그래서 병아리의 탄생을 볼 수 있다면……'

알을 품어서 병아리의 탄생을 보는 것. 잎싹은 이 소망을 한시도 잊은 적이 없었다. 하지만 알이 굴러 내려가도록 앞으로 기울어진데다 알과 암탉 사이가 가로막힌 철망 속에서는 어림없는 일이었다.

양계장 문이 열리고 주인 남자가 외바퀴 수레를 밀고 들어왔다.

"꼬꼬꼬, 아침밥이다!"

"배고프다, 빨리빨리 줘, 꼬꼬꼬!"

암탉들이 보채는 소리로 양계장 안이 시끄러워졌다.

"먹성이 좋은 만큼 값을 해야지! 사료값이 또 올랐으니까!"

주인 남자가 바가지로 모이를 퍼내며 큰 소리로 말했다. 그러나 잎싹은 눈을 깜작이며 활짝 열린 문 밖에만 신경을 썼다.

잎싹은 얼마 전부터 입맛을 잃었다. 알을 낳고 싶은 마음도 없어졌다. 주인 여자가 알을 가져갈 때마다 잎싹은 가슴이 텅 비는 것 같았다. 알을 낳을 때 뿌듯하던 기분은 곧 슬픔으로 바뀌곤 했다. 발끝으로조차 만져 볼 수 없는 알, 바구니에 담겨 밖으로 나간 뒤에는 어떻게 되는지 알 수도 없는 알을 일 년 넘게 낳다 보니 잎싹은 지쳐 버렸다.

눈부신 바깥. 마당 끝에 있는 아카시아나무에 새하얀 꽃이 피었다. 꽃 향기가 바람을 타고 양계장까지 들어와 잎싹의 가슴 속으로 스며들었다. 잎싹은 저도 모르게 벌떡 일어나 철망 틈으로 고개를 내밀었다. 그러자 털이 숭숭 빠진 맨목덜미가 빨갛게 드러났다.

'잎사귀가 또 꽃을 낳았구나!'

잎싹은 아카시아나무 잎사귀가 부러웠다. 눈을 가늘게 떠야 겨우 보이던 연두색 잎사귀가 어느 새 다 자라서 향기로운 꽃을 피워 냈다.

잎싹은 양계장에 갇히던 첫날부터 아카시아나무를 보았다.

처음에는 아카시아나무에 꽃밖에는 아무것도 없는 줄 알았다. 그러나 며칠 안 가서 꽃은 눈송이처럼 날리며 졌고 초록색 잎사귀만 남았다. 초록색 잎사귀는 늦은 가을까지 살다가 노랗게 물들었고, 나중에 조용히 졌다. 거친 바람과 사나운 빗줄기를 견딘 잎사귀들이 노랗게 질 때 잎싹은 감탄했다. 그리고 이듬해 봄에 연한 초록색으로 다시 태어나는 것을 보면서 또 감탄했다.

잎싹은 '잎사귀'라는 뜻을 가진 이름보다 더 좋은 이름은 세상에 또 없을 거라고 믿었다. 바람과 햇빛을 한껏 받아들이고, 떨어진 뒤에는 썩어서 거름이 되는 잎사귀. 그래서 결국 향기로운 꽃을 피워 내는 게 잎사귀니까. 잎싹도 아카시아나무의 그 잎사귀처럼 뭔가를 하고 싶었다.

잎싹은 아카시아나무 잎사귀가 부러워서 '잎싹'이라는 이름을 저 혼자 지어 가졌다. 아무도 불러 주지 않고, 잎사귀처럼 살 수 있는 것도 아니지만 기분이 묘했다. 비밀을 간직한 느낌이었다.

이름을 갖고 나서부터 골똘히 생각하는 버릇이 생겼다. 문 밖에서 벌어지는 일들도 빠짐없이 기억했다. 달이 차고 기우는 일, 해가 떠오르는 일, 마당 식구들이 아옹다옹 다투는 일까지.

"많이 먹어라. 큼직한 알 쑥쑥 낳게!"

주인 남자가 또 큰 소리로 말했다. 모이 때마다 귀에 못이 박히도록 듣는 소리였다. 잎싹은 이제 그 소리에 넌덜머리가 났다. 그래서 들은 척도 안 하고 잠자코 마당만 바라보았다.

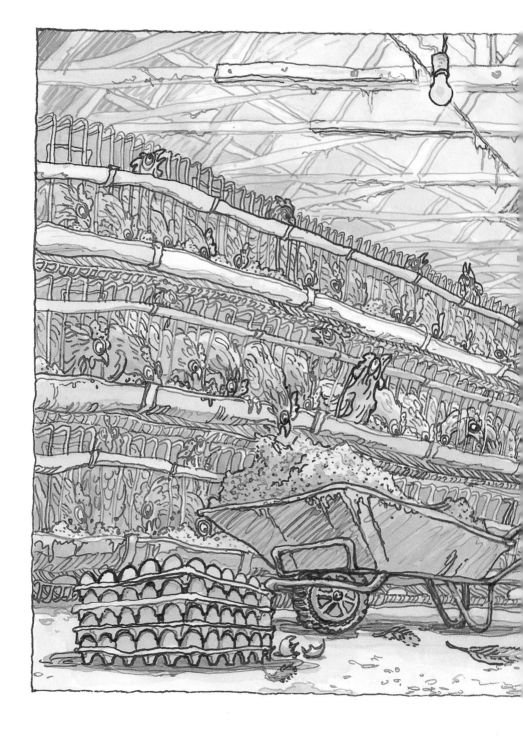

마당 식구들도 아침을 먹느라 바빴다. 식구가 많은 오리들은 함지박을 빙 둘러싸고 하나같이 꽁무니를 쳐든 채 고개 한 번 들지 않고 먹어 댔다. 늙은 개도 게걸스레 먹어 대기는 마찬가지였다. 밥그릇을 따로 차지하고도 허겁지겁 먹는 것은 수탉 때문이다. 밥그릇을 빼앗기지 않으려다 콧잔등을 피 나게 쪼인 뒤부터 늙은 개는 수탉을 겁냈다.

수탉 부부의 함지박은 자리가 넉넉했다. 딸린 식구가 없어서 느긋하게 아침을 먹는 건 수탉 부부뿐이다. 그런데도 수탉은 이따금 공연히 늙은 개의 밥그릇을 넘보곤 했다. 늙은 개가 꼬리를 내리고 으르렁거려도 수탉은 물러서지 않았다. 그렇게 해서 마당의 우두머리라는 것을 확인시키는 것이다.

수탉은 멋지게 솟은 꽁지깃과 붉은 볏을 가졌다. 게다가 겁을 모르는 눈과 날카로운 부리까지 있어서 무척 늠름해 보였다. 새벽마다 "꼬끼오오!" 하고 외치는 게 수탉의 일이다. 그것말고는 기껏해야 온종일 암탉과 어울려 밭으로 들판으로 쏘다니는 게 전부였다.

잎싹은 마당에 있는 암탉을 볼 때마다 철망이 갑갑해서 견딜 수가 없었다. 잎싹도 수탉과 함께 두엄을 헤치거나 나란히 걷고 싶었다. 그리고 마당의 암탉처럼 알을 품고 싶었다.

오리들과 늙은 개, 수탉과 암탉이 어울려 지내는 마당. 그 곳은 잎싹이 도저히 끼어들 수 없는 다른 세상이었다. 아무리 목을

16

내밀어도 철망을 빠져 나갈 수 없고 깃털만 뽑혔으니!

'왜 나는 닭장에 있고, 저 암탉은 마당에 있을까?'

'모르겠어. 왜 그럴까?'

잎싹은 혼자서 묻고 대답하곤 했다. 수탉 부부가 관상용 토종 닭이라는 사실을 잎싹이 알 리 없었다. 그리고 혼자서 낳은 알은 아무리 품어도 부화하지 않는다는 사실도 몰랐다. 진작에 알 았다면 알을 품고 싶다는 소망 따위는 아예 갖지 않았을지도 모른다.

아침을 다 먹은 오리들이 아카시아나무 아래를 지나서 앞산 쪽으로 가기 시작했다. 덩치가 조금 작고 깃털 색깔도 완전히 다른 청둥오리가 무리의 맨 뒤에서 집오리들을 따라갔다. 청둥오리의 머리는 아카시아나무 잎사귀처럼 초록색이라 오리가 아닌 것 같기도 했다. 하지만 '꽥꽥'거리는 소리나 걷는 모습을 보면 영락없는 오리였다. 청둥오리가 어떻게 해서 이 마당에서 살게 되었는지 잎싹은 알지 못했다. 다만 생김새가 별나니까 눈여겨볼 따름이었다.

넋을 놓고 바깥 구경을 하는데 주인 남자가 다가왔다.

"응? 이게 뭐야?"

주인 남자가 모이를 주려다 말고 중얼거렸다. 엊저녁 모이가 그릇에 그대로 있는 것을 보고는 고개까지 갸웃거렸다. 알을 꺼내는 일은 주인 여자가 하기 때문에 주인 남자는 모이 주기가 끝나면 밖으로 나가는 게 보통이다. 그런데 오늘은 달랐다.

"요즘 들어서 통 먹질 않는군. 쯧쯧, 병든 모양이야."

주인 남자가 못마땅해하며 핏자국이 있는 알과 잎싹을 번갈아 보았다. 그리고 알을 집어 들었다. 그런데 주인 남자의 손가락이 닿자 알이 물렁하게 들어가며 잔주름이 잡혔다. 잎싹은 속으로 몹시 놀랐다. 작고 볼품없다고만 생각했지 물렁한 알이라고는 상상도 못 했던 것이다.

'아, 껍데기도 여물지 못했다니……'

주인 남자는 이맛살을 찌푸렸을 뿐이지만, 잎싹은 가슴이 아프게 긁히는 것 같았다. 알을 빼앗길 때마다 가슴이 아팠지만 지금처럼 아프진 않았다. 지금은 울음이 목구멍까지 꽉 차서 온몸이 뻣뻣해지는 것 같았다. 가엾게 껍데기도 없이 나오다니.

주인 남자가 물렁한 알을 마당에 휙 던져 버렸을 때 잎싹은 저도 모르게 눈을 질끈 감았다. 알이 소리도 없이 땅바닥에 퍼지자 늙은 개가 와서 핥아먹었다. 얇은 막까지 남김없이.

눈물이 흘렀다. 암탉으로 태어나서 처음 흘린 눈물이었다. 잎싹은 진저리를 치며 부리를 앙다물었다.

'절대로 알을 낳지 않겠어! 절대로!'

닭장을 나오다

잎싹은 마당을 바라볼 때가 그래도 행복했다. 오리들이 떼지어 돌아다니고, 개가 오리 꽁무니를 쫓아다니며 장난치는 걸 보는 재미가 모이를 쪼아 먹는 일보다 나았다.

잎싹은 눈을 감고 마당을 자유롭게 오가는 상상을 하곤 했다. 둥우리에서 따뜻하게 알을 품고 있는 모습, 수탉과 함께 밭에 나가는 모습, 오리들을 따라가는 모습도 상상해 보았다. 그러나 끝내 한숨을 쉬며 눈을 뜰 수밖에 없었다.

'소용 없는 짓이야. 그런 날은 영원히 오지 않을 거야.'

잎싹은 또 알을 낳지 못했다. 사흘째, 나흘째도 마찬가지였다. 당연했다. 이제는 거의 일어서지도 못할 지경이었으니까.

"폐계야. 그만 닭장에서 꺼내야겠는걸."

닷새나 허탕을 치던 날, 주인 여자가 퉁명스레 말했다. 죽은 듯이 잠만 자던 잎싹에게도 그 말이 들렸다.

'꺼낸다고? 닭장에서?'

그것은 전혀 생각하지 못한 말이었다. '폐계'가 무슨 말인지는 몰랐지만, 꺼낸다는 말에 갑자기 온몸에 기운이 도는 것 같았다. 잎싹은 간신히 머리를 들고 물을 조금 찍어 먹었다.

그 이튿날도 알을 낳지 못했다. 잎싹은 더 이상 몸 속에서 알이 만들어지지 않는다는 것을 느꼈다. 그래도 약간의 물과 모이를 먹어 두었다.

'이제부터 새로 시작하는 거야. 알을 품고 병아리를 키워야지. 나는 그럴 수 있어. 마당에 나가기만 하면……'

잎싹은 벅찬 흥분으로 기다렸다. 수탉과 어울려 밭에 가고, 땅을 후벼파는 상상을 하느라 잠까지 설쳤다.

알을 낳지 못한 지 이레째, 양계장 문이 열리고 주인 부부가 빈 수레를 밀고 들어왔다. 기운이 없어서 똑바로 서지는 못했지만 잎싹의 정신은 다른 어떤 날보다 또렷했다.

"이제 나간다, 닭장에서! 꼬꼬꼬."

아주 오랜만에 잎싹은 목청을 돋워 보았다. 닭장에 갇힌 뒤로 가장 특별한 날이 온 것이다. 아카시아꽃 향기가 유난히 기분 좋게 코에 스몄다.

"아쉬운 대로 고기값은 받을 수 있겠지요?"

"글쎄, 병든 것 같은데……."

주인 여자와 남자가 잎싹을 두고 말을 주고받았다. 잎싹은 그 말을 귀담아듣지 않았다. 드디어 마당에서 살게 됐다는 생각에 가슴이 두근거렸을 뿐이다.

남자가 닭장에서 잎싹을 꺼냈다. 날갯죽지를 꼭 움켜쥐고 아주 간단하게. 일 년이나 옴짝달싹할 수 없었던 닭장에서.

"털썩!"

잎싹은 외바퀴 수레에 던져졌다. 병들지는 않았지만 이미 반항하거나 푸덕거릴 정도의 힘조차 없었다. 정신을 바짝 차리고 목을 세웠지만 그것도 잠시, 비실거리는 닭들이 같이 실리는 바람에 잎싹은 밑에 깔리고 말았다.

늙은 암탉들은 닭장에서 꺼내져 다른 철망에 한꺼번에 갇혔다. 알을 낳을 수 없을 뿐 건강했기 때문이다. 늙은 암탉들은 모두 트럭에 실렸고 곧 양계장을 떠났다. 그러나 잎싹은 그대로 외바퀴 수레에 있었다. 곧 죽을 것만 같은 암탉들에게 짓눌린 채로. 마지막에 던져진 암탉이 잎싹의 머리마저 덮어 버렸다.

잎싹은 갑갑하게 눌렸어도 정신을 잃지 않으려고 애썼다.

'어쩌려는 걸까? 왠지 불안해.'

시끄러운 암탉들 소리가 점점 작게 들리더니 나중에는 들리지 않았다. 숨쉬기가 어려웠다.

'폐계라는 게 이런 건가.'

숨이 턱턱 막혔다. 눈꺼풀이 저절로 감겼다.

'설마, 이렇게 죽는 건 아닐 테지.'

용기를 내려고 해도 점점 무서워졌다. 나중에는 가슴 밑바닥에서부터 슬픔이 밀려 올라왔다.

'이렇게 죽다니, 아직은 그럴 수 없어. 마당으로 가고 싶어!'

어떻게든 수레에서 빠져 나가야겠다고 생각했다. 그러나 너무 많은 암탉이 포개져 있어서 뼈가 바스러지는 듯했다.

잎싹은 꽃이 한창인 아카시아나무를 생각했다. 초록색 잎사귀와 꽃 향기, 마당 식구들의 즐거운 모습도 떠올렸다.

'나한테는 소망이 있었어. 알을 품어서 병아리의 탄생을 보는 것! 암탉으로 태어났으면 당연히 가질 수 있는 바람인데, 끝내 이루지 못하고 이렇게 죽는구나.'

정신이 가물가물해질수록 잎싹은 상상 속으로 빠져들었다.

잎싹은 둥우리에서 따뜻하게 알을 품고 있는 자신을 보았다. 늠름한 수탉이 곁을 지켜 주었고 아카시아꽃이 눈처럼 흩날리고 있었다.

'언제나 알을 품고 싶었지, 꼭 한 번만이라도. 나만의 알, 내가 속삭이는 말을 들을 수 있는 아기. 절대로 너를 혼자 두지 않아. 아가야, 알을 깨렴. 너를 보고 싶어. 무서워하지 마라……'

마침내 잎싹은 자신이 정말 알을 품고 있다는 착각에 빠져서 미소를 머금은 채 정신을 잃었다.

시간이 얼마나 흘렀을까. 비가 내리고 있었다.

잎싹은 몸이 흠뻑 젖은 채 눈을 떴다.

'어디에 있는 거지? 내가 죽지 않았나 봐.'

으슬으슬 추웠다. 잎싹은 정신을 차린 뒤에도 몸을 추스릴 수가 없었다. 깃털을 부르르 떨면 좀 나을 것 같았지만 그럴 기운이 없었다.

그런데 머리 위쪽에서 무슨 소리가 났다. 그 소리가 몇 번이나 반복해서 들렸을 때에야 비로소 잎싹은 알아들었다.

"거기, 너 말이야. 들리니?"

잎싹은 간신히 고개를 들었다. 지독한 냄새가 났을 뿐 주변에
뭐가 있는지 제대로 보이지 않았다.

"멀쩡하잖아. 그럴 줄 알았어!"

들뜬 목소리가 아까보다 훨씬 더 크게 들렸다.

"일어서! 걸어 보라고!"

"걸어 보라고? 안 돼, 너무 힘들어."

잎싹은 주위를 둘러보았다. 어둑한 산등성이의 나무들과 둑
위에 자라 있는 풀들이 바람에 흔들리고 있었다. 그 곳 어디쯤
에서 소리가 났다.

"넌 안 죽었어. 빨리 일어나라니까!"

"물론 난 죽지 않았어."

잎싹은 날개를 움직여 보았다. 다리도 쭉 뻗어 보고 목도 이리저리 흔들었다. 기운이 없을 뿐 모두 정상이었다.

"거기, 누구야?"

"딴 소리 말고 달아나. 서둘러!"

잎싹은 비척비척 일어섰다. 그리고 소리가 나는 쪽으로 간신히 걸음을 옮겼다. 걸어 보는 게 얼마 만인지. 한 발짝, 두 발짝, 그러다 우뚝 멈추었다.

"맙소사, 이게 다 뭐야!"

잎싹은 놀란 나머지 털썩 주저앉았다. 주변에 수북이 쌓여 있는 것들, 잎싹이 밟고 있는 것은 다름 아닌 죽은 암탉들이었다. 그 곳은 죽은 닭을 버리는 구덩이였던 것이다.

"난 아직 살아 있는데, 이럴 수가!"

잎싹은 벌떡 일어나서 자기도 모르게 꼬꼬거리며 뛰어다니기 시작했다. 그러나 아무리 뛰어다녀도 구덩이를 벗어날 수가 없었다. 어디서나 암탉의 시체가 밟혔다. 끔찍하고 소름끼쳐서 정신을 차릴 수가 없었다.

"도대체 뭘 하는 거야?"

구덩이 밖에서 또 소리가 났다. 그러나 잎싹은 듣지 못하고 정신 없이 뛰어다니며 꼬꼬거리기만 했다.

“어떡하지? 어쩌면 좋아!”

“그러다 큰일난다!”

“난 죽지 않았는데, 멀쩡한데.”

“저걸 보라니까. 너를 노리고 있어!”

“몰라, 몰라. 어쩌면 좋아!”

“그러니까 달아나! 너를 노리는 게 안 보이니? 멍청한 닭아! 저 눈이 널 보고 있다니까!”

마치 호통치는 듯한 소리가 들렸다. 잎싹은 그제야 소동을 멈추었다. 그리고 소리가 나는 반대쪽 풀숲에서 날쌔 보이는 뭔가가 이리저리 움직이고 있는 걸 알아차렸다. 그것의 두 눈빛이 자신을 쏘아보고 있다는 사실도. 그게 뭔지는 몰라도 섬뜩한 기분이 들었다.

“그대로 있으면 당하고 말 거야!”

잎싹은 구덩이 밖에서 나는 소리에 마음이 쏠렸다. 역시 누구인지 알 수 없지만 섬뜩한 눈빛보다는 믿음이 갔다.

“어쩌면 수탉인지도 몰라.”

생각지도 않은 말이 불쑥 나왔다. 이런 어둠 속에서 용감하게 소리칠 만한 인물은 수탉밖에 없다고 생각했다.

잎싹은 목소리를 따라 구덩이 끝으로 갔다. 그 곳은 구덩이 벽이 낮아서 쉽게 밖으로 나올 수 있었다.

“다행이야.”

침착하고 다정한 목소리였다. 잎싹은 젖은 몸을 부르르 떨며 앞에 있는 친구를 보았다. 마당 식구인 청둥오리였다. 오리 가족과 달리 초록색과 갈색 깃털이 난 청둥오리. 오리 가족이 무리지어 갈 때 언제나 맨 끄트머리에서 따라가는데다 잘 어울리지도 못하는 외톨이.

　외톨이의 도움을 받게 될 줄은 상상도 못 했지만 마당 식구를 가까이 보고 있으니까 닭장을 나왔다는 게 실감났다.

　"고마워, 날 도와 줬구나!"

　잎싹은 닭장을 나온데다가 죽지 않았다는 사실이 너무나 기뻤다.

　"고마워할 건 없어. 저 녀석을 그냥 봐줄 수 없었을 뿐이니까. 녀석이 누군가를 산 채로 잡아가는 걸 보면 참을 수 없이 화가 나거든."

　"저 녀석이 누구야?"

　"족제비!"

　청둥오리는 족제비라는 말을 할 때 목덜미 깃털을 치르르 떨었다. 잎싹도 덩달아 몸을 떨었다. 저쪽 멀리서 족제비가 우뚝 서서 잎싹을 노려보고 있었다. 훼방꾼과 놓친 먹이에게 몹시 화가 난 모양이었다.

　"돌아가. 이제 살았으니까."

　청둥오리가 뒤뚱거리며 걸어갔다.

"어, 어디로 가지?"

잎싹은 머뭇거렸다. 청둥오리는 잎싹을 데려갈 생각이 없는 것 같았다. 함께 마당으로 가고 싶은데 돌아가라니.

"닭장에는 다시 안 갈 거야. 이제 겨우 나왔는걸. 나는 폐계 라고."

"폐계? 그게 뭐니?"

"글쎄, 아마 닭장을 나와도 좋다는 말일 거야."

"아무튼 여기 있는 건 위험해. 어디로든 가란 말이야. 난 너무 늦었어. 모두 잠자리에 들었을 텐데."

청둥오리가 피곤하다는 듯 뒤뚱뒤뚱 걸어갔다. 잎싹은 족제비 쪽을 슬쩍 돌아보고 얼른 청둥오리를 따라갔다.

"구덩이에 내가 있는 걸 어떻게 알았니?"

"저수지에서 오는 길에 족제비가 얼씬거리는 걸 보았어. 그건 구덩이에 아직 목숨이 붙어 있는 암탉이 있다는 뜻이거든. 난 알아. 그 못된 녀석!"

청둥오리가 다시 목덜미 깃털을 떨었다.

"녀석은 언제나 살아 있는 먹이를 찾아다닌단 말이야. 보통 내기가 아니거든. 게다가 아주 크지. 다른 녀석보다 훨씬 더. 그래서 자기가 대단하다는 걸 보여 주려고 못되게 구는 거라고. 너처럼 아직 살아 있는 암탉은 좋은 사냥감이지. 가끔씩 있는 일이야. 넌 운이 좋았어."

"그래, 난 운이 좋았어. 네 덕분이야."

잎싹은 청둥오리를 바싹 따라갔다. 좋은 사냥감이라는 말을 들을 때는 저절로 깃털이 곤두섰다.

"하하하, 너 같은 암탉은 처음이야. 아우성치기를 잘 했어. 팔팔한 사냥감을 어떻게 잡아야 할지 족제비도 고민이 컸을 거다."

청둥오리가 유쾌하게 웃으며 구덩이 쪽을 보았다. 족제비가 아직도 이쪽을 보고 있었다. 잎싹은 얼른 고개를 돌렸지만 청둥오리는 당당했다.

"언젠가는 또 만나겠지. 저 녀석은 포기하지 않아."

"그, 그러니?"

"아마 거기서 살아 나온 암탉은 네가 처음일 거야."

"난 죽은 게 아니었어."

잎싹은 중얼거리듯 말했다. 청둥오리는 더 이상 말하지 않고 앞서 갔다.

잎싹과 청둥오리는 아카시아나무 아래를 지나서 마당으로 갔다.

"어디로 갈 거니?"

청둥오리가 물었다. 잎싹은 또 머뭇거렸다.

"저, 나는 말이지, 닭장에 다시 가고 싶은 마음이 털끝만큼도 없어."

"그 말은 아까도 했잖아."

"그, 그래. 아까도 했지."

잎싹은 청둥오리가 도와 주기를 바라며 말했다.

"저, 나를 데려가 줄 수는 없니?"

"어디로? 헛간으로?"

청둥오리가 매우 난처한 듯이 고개를 저었다. 그러면서도 잎싹의 처지가 안됐는지 딱 잘라 거절하지 못했다.

"사실은 나도 나그네라서. 하지만 뭐, 너도 암탉이니까."

청둥오리는 잎싹을 데리고 마당 식구들의 보금자리인 헛간으로 갔다.

마당 식구들

늙은 개는 제 집에서 몸을 반쯤 내놓고 엎드려 있었다. 막 잠이 쏟아지는 참인지 눈이 게슴츠레했다. 그런데 청둥오리가 말라 빠진 암탉을 데려오는 것을 보자 눈이 커졌다. 푹 젖은데다가 목의 깃털이 죄다 뽑힌 암탉 때문이었다.

"크르릉, 지독한 냄새를 풍기는군!"

개가 앞으로 나섰다. 잎싹은 청둥오리에게 더 바싹 다가섰다.

"그럴 것 없어. 암탉일 뿐이야."

청둥오리가 개의 기분이 상하지 않도록 부드럽게 말했다. 그러나 개는 얼굴을 찡그리고 잎싹 주위를 빙빙 돌았다. 덥석 물고 싶어서 기회를 엿보는 태도였다.

"아무나 들여보낼 수는 없어. 나는 빈틈없는 문지기라고!"

개가 이빨을 드러내고 으름장을 놓았다. 그 소리에 놀란 오리들이 헛간에서 하나 둘 얼굴을 내밀었다.

"떠난 게 아니었니? 우리는 그렇게 생각했는데."

"저런, 게다가 꽁무니에 뭘 달고 온 거야?"

"털이 엉망으로 뽑혔잖아. 족제비 밥상에서 막 도망쳤나 봐."

오리들이 '꽥꽥' 거리며 웃어 댔다.

청둥오리는 잠자코 있었다. 그러나 잎싹은 청둥오리가 목 깃털을 곤두세우고 부르르 떠는 걸 보았다. 잎싹은 청둥오리에게 미안했고 놀림감이 된 것이 부끄러웠다.

"어이, 나그네. 너 하나만으로도 우리는 잠자리가 불편해. 그런데 어디서 병든 닭까지 끌고 온 거야?"

"쫓아 버려! 병을 옮길지도 몰라."

오리들이 입을 모아 잎싹에게 당장 떠나라고 소리쳤다. 개도 의기양양해서 크르릉거리며 말했다.

"알아들었겠지? 얼씬거릴 생각 마라."

잎싹은 겁에 질려 목을 움츠렸다. 그러나 갈 곳이 없었기 때문에 청둥오리 뒤에서 떨어지지 않으려고 했다.

"나는 병을 옮기지 않아. 아무도 방해하지 않을 거고. 그리고……."

잎싹은 울먹였다. 닭장을 나오기만 하면 될 줄 알았는데, 마당 식구들이 조금도 낯설지 않은데…….

“그리고 나도 마당에서 살고 싶었어, 오래 전부터.”

“무슨 소리! 너는 양계장 암탉이잖아. 그러면 닭장에서 알이나 낳아야지!”

“그렇지만 나는……..”

잎싹은 마당에서 쫓겨나지 않으려고 버텼다. 그럴수록 개는 험악스러워졌다. 코를 벌름거리며 들이대는 바람에 잎싹은 몇 번이나 엉덩방아를 찧었다. 그 때마다 오리들이 요란하게 웃어 댔다. 잎싹은 끝내 울음을 터뜨리고 말았다.

그 때였다.

“비겁한 짓이야! 암탉을 내버려 둬!”

청둥오리가 ‘꽥’ 소리를 질렀다. 어떤 오리의 목청도 그보다 우렁차지 못할 것이다.

“어떻게 하면 좋을지 의견을 묻고 싶었는데, 이렇게 몰인정하다니!”

“몰인정하대. 자기를 헛간에 살도록 한 게 누군지 잊었나 봐.”

오리들 가운데 하나가 중얼거렸다. 그러자 청둥오리가 더욱 화를 냈다.

“암탉은 구덩이를 빠져 나왔어! 거기에서 살아 나온 암탉이 또 있어? 족제비까지 눈독들이고 있었는데 용감하게 벗어났다고!”

오리들이 놀라는 눈치였다.

“정말 족제비였다니까! 너희들이라면 그럴 수 있어? 뒤뚱거리기만 하다가 끝나 버렸을걸?"

"……."

청둥오리가 워낙 큰 소리를 쳤기 때문인지 오리들은 입을 다물어 버렸다. 늙은 개도 크르릉거리기를 멈추었다.

"헛간 한 귀퉁이를 내주는 게 그렇게 대단한 일이야?"

잎싹은 청둥오리의 당당한 모습을 처음 보았다. 청둥오리가 늘 오리 행렬의 맨 뒤에 있었기 때문에 어린 오리와 같은 처지라고 생각했다.

"조용히 해라! 나그네 주제에 감히 우리를 모욕하다니!"

헛간에서 다른 오리가 나오며 청둥오리를 꾸짖었다. 무리를 이끄는 우두머리 오리였다. 청둥오리도 그만 입을 다물 수밖에 없었다.

"너를 헛간에 살도록 허락한 것은 하찮은 일이 아냐. 그것을 감사할 줄 모르다니."

오리 우두머리의 목소리가 더 커지려고 하는데 이번에는 수탉이 나섰다.

"헛간 우두머리는 바로 나다! 나그네는 헛간에 대해서 이러쿵저러쿵 말할 처지가 아니란 말야. 모든 결정은 우두머리인 내가 하는 거야!"

모두 조용히 수탉의 말을 들었다. 그의 목소리는 아침에 '꼬끼오오' 할 때처럼 날카로웠다.

"소란을 더 일으키면 용서하지 않겠다. 밤이 늦었으니 족제비가 근처에 왔을지도 몰라. 암탉은 헛간에 들어와도 좋다. 하지만 오늘 밤뿐이야. 어차피 닭장 문도 닫혔으니까. 맨 바깥쪽에서 자라. 그리고 내가 새벽을 알리는 즉시 이 곳을 떠날 것!"

수탉의 말에 모든 것이 결정되었다.

수탉 부부가 먼저 헛간에 들어가고 우두머리 오리와 나머지 오리들, 그리고 청둥오리가 따라서 들어갔다. 잎싹은 나중에 매우 조심스럽게 안으로 들어갔다. 성질을 삭이지 못한 늙은 개만 마당을 오락가락했다.

헛간은 아늑했다. 물그릇과 모잇그릇이 있고 한쪽에는 따뜻해 보이는 짚덤불이 있었다. 날개를 퍼덕이려고 할 때마다 갑갑하게 닿는 철망은 어디에도 없었다.

수탉 부부는 횃대에 올라가서 헛간의 모두를 내려다보았고, 오리들은 저희끼리 몸을 맞대고 있었다. 하지만 청둥오리는 그들과 떨어져서 거의 문 쪽에 웅크리고 앉았다. 아마도 그 곳이 청둥오리의 자리인 것 같았다.

잎싹은 청둥오리보다 더 바깥쪽에 있어야 된다는 걸 깨달았다. 그래서 그 곳에 앉았고, 따뜻해 보이는 짚덤불 같은 것은 꿈도 꾸지 않았다.

"이런 일이 또 일어나다니. 내일 아침까지 저 암탉이 떠나지 않으면 가만 있지 않겠어!"

횃대에서 암탉이 투덜거렸다.

"나는 요즘 신경이 날카로워지고 있어. 이제 곧 알을 품을 거란 말야. 병아리를 잘 까려면 어떤 일도 일어나선 안 된다고. 내가 전에 병아리를 다 잃었다는 사실을 모두 기억하고 있겠지?"

알을 품을 거라는 말에 잎싹은 암탉을 올려다보았다. 조금 어두웠지만 아름다운 모습을 알아볼 수는 있었다. 풍만한 몸과 윤기가 흐르는 깃털에 단정한 볏. 마당의 암탉은 늠름한 수탉에게 잘 어울리는 짝이었다.

'나도 저렇게 우아한 때가 있었을까? 게다가 알을 품을 거라니. 그런 느낌은 암탉만 알지……. 참 좋겠구나.'

암탉이 몹시 부러웠다. 아름다운 모습에 알까지 품는다니. 잎싹은 여태 몸맵시에 신경을 쓴 적이 없었다. 그래도 깃털이 빠져서 지금 자신이 몹시 볼품없다는 것은 알고 있었다. 갑자기 그 사실이 부끄러웠다. 잎싹은 서글픈 마음을 억누르려고 몸을 작게 움츠렸다. 깃털이 숭숭 빠져서 맨살이 다 드러난 목을 아무도 보지 말았으면.

'그래도 닭장을 나왔잖아. 나는 지금 마당 식구들과 같이 있어. 게다가 곧 알을 낳을 수 있을 거야. 머지않아…….'

잎싹은 좋은 일만 생각하기로 했다. 그러나 내일 아침에 이곳을 떠나라는 수탉의 말이 생각나서 앞일이 막막했다. 그리고 굉장히 배가 고팠다.

잎싹은 모처럼 편안하게 잠을 잤다. 헛간에서 가장 먼저, 횃대의 수탉보다 먼저 잠이 깼지만 잎싹은 움직이지 않았다. 잠자리의 포근함을 좀더 느끼고 싶었고, 단잠에 빠진 마당 식구들을 방해하고 싶지 않아서 조용히 있었다.

'어쩌면 이대로 살게 할지도 몰라. 청둥오리도 나그네인데 눌러살고 있잖아. 내가 얼마나 마당에 살고 싶어했는지 안다면 이해해 줄 거야.'

횃대에서 수탉이 일어났다. 수탉은 잠시 부리로 깃털을 다듬더니 날개를 쫙 벌리고 기지개를 켰다. 그러고는 목을 쭉 빼면서 "꼬끼오오!" 하고 소리쳤다.

수탉이 횃대에서 푸두둑 내려와 잎싹 곁을 지나가려고 했다. 잎싹은 얼른 일어나 길을 비켜 주었다.

수탉이 명령하듯이 말했다.

"내가 돌담 위에서 한 번 더 홰를 치거든 이 곳을 나가라. 나그네는 갈 곳이 마땅치 않아서 머물게 됐지만 너는 갈 곳이 있어. 닭장 말이야. 닭장은 안전해. 암탉이 아무리 용감해도 언제나 족제비로부터 도망칠 수 있는 건 아니니까."

수탉은 대장으로서 위엄을 보이며 말했다.

"엊저녁에 잠자리를 내준 건 네가 볏을 가진 족속이기 때문이야. 볏을 가진 족속은 웃음거리가 되면 안 돼. 그러니 네 자리로 가."

"난 돌아가기 싫어. 마당에서 살고 싶어. 여기라면 족제비를 걱정하지 않아도 되잖아."

잎싹은 용기를 내어 말했다.

"난 폐계야."

"폐계?"

잎싹이 고개를 끄덕이자 수탉이 어이없다는 듯 웃었다. 그러더니 아까보다 더 험악스러운 눈초리로 쏘아보았다. 대꾸하면 부리로 쪼아 버릴 것처럼.

"아무도 너를 원하지 않아!"

그것은 잎싹의 기대를 완전히 꺾어 버리는 말이었다. 잎싹은 부리를 꾹 다물었다. 다시 한 번 슬픔과 부끄러움이 가슴에서 밀려 올라왔다.

수탉이 밖으로 나갔다. 잠시 후에 "꼬끼오오!" 소리가 울려 퍼졌다. 잎싹에게 마지막을 알리는 경고였다.

잎싹은 청둥오리를 바라보았다. 청둥오리도 잠이 깨어 잎싹을 보고 있었다. 그러나 무리에서 가장 꼴찌인 나그네가 나설 일이 아니었다. 청둥오리는 도움을 주지 못해 미안하다는 표정을 지었다.

잎싹은 청둥오리를 이해했다. 족제비에게 당할 뻔했을 때 구해 주었고, 마당 식구들과 맞섰던 것만으로도 충분하다고 생각했다.

'난 여기가 정말 좋은데…….'

잎싹은 하는 수 없이 헛간을 나왔다. 그러나 갈 곳이 없어서 아카시아나무 아래에 쪼그려 앉았다.

주인 남자가 외바퀴 수레를 밀고 양계장으로 가는 모습이 보였다. 닭장에서 문이 열리기만을 기다리던 때가 생각났다. 도저히 갈 수 없을 것 같았던 마당. 아, 그런데 지금 바로 거기에 와 있지 않은가!

"슬퍼할 것 없어. 나한테는 이미 첫 번째 기적이 일어났는걸!"

잎싹은 기운을 냈다. 그리고 하늘 높이 치솟아 있는 아카시아나무를 올려다보았다.

"알을 낳을 거야. 병아리도 볼 수 있겠지. 그래, 나는 죽지 않았으니까!"

갑자기 뱃속의 창자가 요동을 쳤다. 주인 여자가 마당 식구들에게 아침을 주는 바람에 더욱 시장해졌다. 군침이 돌아서 그대로 있을 수가 없었다.

"나도 먹을래!"

잎싹은 벌떡 일어나 모이가 담긴 함지박을 향해 곧장 달려갔다. 먹은 것도 없는데 어디에서 그런 힘이 솟았는지 모를 일이었다. 그러나 함지박에 닿기도 전이었다.

"건방지게 어딜!"

오리가 넓적한 부리로 잎싹의 목을 사정없이 물었다. 털도 없는 목을 물려서 잎싹은 거의 까무러칠 지경이었다.

"꺼져, 당장!"

무섭게 쏘아붙인 뒤, 오리는 함지박에 머리를 박고 먹어 대기 시작했다. 함지박에 빙 둘러서서 꽁무니를 쳐들고 먹는 오리들. 비집고 들어갈 틈이 조금도 없었다.

잎싹은 나동그라진 채로 수탉 부부의 함지박을 보았다. 함께 먹어도 될 만큼 자리가 넉넉했지만 어림없는 일이었다. 늙은 개의 밥그릇을 빼앗을 정도로 수탉은 욕심이 많고 사나웠다. 늙은 개 역시 잎싹이 엄두도 못 낼 상대였다.

외바퀴 수레를 밀고 나온 주인 남자가 잎싹을 보았다. 알을 꺼내러 가던 주인 여자도 걸음을 멈추었다.

"용케 살았네."

주인 여자가 말했다. 주인 남자도 고개를 끄덕였다.

"목숨이 질기군."

"닭장에 다시 넣을까요? 아참, 알을 못 낳지. 그럼 잡아먹기라도 할까요?"

잎싹은 겁이 더럭 났다. 그러나 주인 남자가 얼른 고개를 저었기 때문에 안심했다.

"병들었는데 뭘. 저러다가 죽겠지. 족제비한테 당하거나."

주인 남자와 여자는 잎싹을 그냥 두기로 한 모양이었다. 잎싹이 닭장에 다시 갇힐 염려는 없었다.

"뭐라도 좀 먹었으면……."

입 안에 아무것도 없는데 삼키는 시늉을 몇 번이나 했다. 닭장에서도 암탉들이 한창 모이를 먹고 있을 터였다. 어찌나 배가 고픈지 창자가 배배 꼬이는 듯했다. 마당 생활이 생각보다 눈물겨웠지만 그래도 잎싹은 닭장 쪽으로는 눈길도 주지 않았다.

잎싹은 수탉 부부가 그랬던 것처럼 두엄더미로 가서 두엄을 파헤쳤다. 뭐가 있는지 알지도 못한 채.

"아, 이건……."

맛있어 보이는 지렁이가 꿈틀거리고 있었다. 잎싹은 지렁이가 얼마나 좋은 먹이인지 금방 알아차렸다. 그것은 정말 기막힌 먹이였다.

"내 간식에서 비켜!"

암탉이 쫓아오더니 잎싹의 머리를 앙칼지게 쪼았다. 잎싹은 비명을 지르며 물러나야 했다. 암탉은 그래도 성이 풀리지 않았는지 잎싹의 온몸을 쪼았다. 그리고 기어이 마당에서 몰아냈다.

온몸이 쑤시듯 아팠다. 그러나 아픔보다 배고픔이 더 견디기 어려웠다. 잎싹은 텃밭으로 갔다. 거기에서 파릇하게 자란 배추를 조금 뜯어 먹었다. 이슬이 맺혀 있어서 목을 축일 수도 있었다. 하지만 수탉 부부가 또 달려올 게 뻔했다.

잎싹은 스스로 텃밭에서 나왔다. 그런데 밭은 거기에만 있는 게 아니었다. 마당에서 멀기는 해도 밭은 얼마든지 있었다. 먹

을 것이 얼마든지 있는 셈이었다.

"아!"

잎싹은 두 다리에 힘을 주고 가슴을 폈다. 그리고 목청을 돋
워서 기쁘게 꼬꼬거렸다. 수탉 부부가 이렇게 넓은 밭을 다 차
지할 수는 없을 테니까!

친구

잎싹은 하루 종일 밭에서 지냈다. 배추벌레를 잡아먹기도 하고, 발톱으로 땅을 후벼판 뒤에 배를 깔고 시원하게 낮잠도 잤다. 닭장에서 상상했던 것보다 훨씬 더 많은 일을 해 볼 수 있었다.

야산 너머로 간 오리들은 저녁에나 돌아왔고, 수탉 부부도 텃밭에서만 지냈기 때문에 잎싹은 누구의 방해도 받지 않았다. 매우 만족스러웠다. 하지만 날이 어두워지자 걱정이 되었다.

"안전한 곳으로 가야겠어. 족제비가 올 거야."

잎싹은 마땅한 잠자리가 없을까 하고 넓은 밭을 두루 살펴보았다. 하지만 몸을 감출 만한 곳이 없었다. 잎싹은 마당으로 다시 갔다.

마당 식구들은 벌써 헛간에 들고, 늙은 개만 혼자서 보초를 서고 있었다. 잎싹을 본 개가 달갑지 않은 표정으로 다가왔다.

"오늘은 어림없어. 아무도 네 편을 들지 않을 거야."

개가 잎싹의 주위를 빙빙 돌았다.

"나그네는 경고를 받았어. 또 소란을 일으키면 스스로 헛간을 떠나야 돼. 그러니 널 도와 줄 리가 없지."

잎싹은 몸을 잔뜩 움츠리고 개를 경계했다.

"게다가 암탉이 알을 품을 때가 되었단 말이야. 나한테는 소동을 막을 책임이 있어. 그러니 얼씬거리지 마."

개는 암탉의 신경질을 겁내고 있었다. 만약 암탉에게 콧잔등을 쪼인다면 늙은 개 체면이 말이 아닐 것이다. 새파란 암탉에게 봉변을 당하는 꼴이니.

"잘 곳이 없어, 여기가 아니면."

잎싹은 개가 으르렁거리지 않도록 공손히 말했다. 어제처럼 헛간에서 자려는 건 아니었다. 마당 어디라도 좋으니까 개의 보호를 받으며 밤을 보낼 수 있기만 바랄 뿐이었다.

"그래도 안 돼. 나는 앞으로 더욱 바빠질 거야. 암탉이 조용한 곳에서 알을 품고 싶어하기 때문이지. 바로 저기."

개가 가리킨 곳은 두엄더미 근처의 대나무숲이었다. 밤에 족제비가 충분히 드나들 것만 같은 곳이었다.

"머지않아 저 곳까지 순찰을 돌아야 될 형편이라고, 이 나이

52

에. 암탉은 나를 믿고 있어. 네가 얼씬거리는 걸 알면 신경질을 부려 댈 거란 말이야. 나이가 들어서 그런지 나도 시끄러운 건 딱 질색이야."

개가 한숨을 쉬었다.

"깃털 소리도 내지 않을게. 돌담 아래든 마당 구석에서든 잠시 머물게만 해 줘. 수탉보다 먼저 일어나서 나갈 테니까."

"나한테 무리한 걸 요구하지 마. 나는 평생 동안 빈틈없는 문지기로 살아왔어. 규칙에 어긋나는 일을 하면 안 돼."

"나는 왜 마당에서 살 수 없지? 마당의 암탉처럼 나도 암탉인데."

"흥! 정말 어리석은 암탉이야. 어쩌다 그런 생각을 하게 됐지?"

개가 눈살을 찌푸렸다.

"암탉이지만 서로 달라. 그걸 모른단 말이야? 내가 문지기로 살아야 하고, 수탉이 아침을 알리는 게 당연한 것처럼 너는 본래 닭장에서 알을 낳게 되어 있었잖아. 마당이 아니라 바로 닭장에서! 그게 바로 규칙이라고."

"그런 규칙이 싫을 수도 있잖아. 그럴 때는 어떡해?"

"쓸데없는 소리!"

개는 고개를 절레절레 흔들며 제 집으로 갔다.

잎싹은 개에게 어떤 도움도 받지 못할 거라는 사실을 깨달았다. 그리고 성질을 잘못 건드리면 오늘 아침처럼 모욕을 당한다는 것도 알았다. "아무도 너를 원하지 않아." 하던 수탉의 말도 떠올랐다.

잎싹은 마당을 나왔다. 그러나 여전히 갈 곳이 없었다. 하는 수 없이 마당 끝으로 가서 아카시아나무 아래를 발톱으로 후벼 파기 시작했다. 아랫배가 폭 들어갈 정도의 구덩이가 생길 때까지.

마당을 벗어난 곳이기 때문에 개는 잎싹이 하는 짓을 눈을 끔뻑이며 바라볼 뿐이었다. 발톱이 아프도록 땅을 파헤치는 동안 잎싹의 가슴은 슬픔과 분노로 뒤범벅이 되었다.

'할 수만 있다면 마당을 떠나고 싶어!'

암탉이 대나무숲에서 알을 품기 시작했다. 가끔 두엄더미로 나와 벌레를 잡아먹을 뿐 암탉은 텃밭에도 나오지 않고 오로지 알을 품는 일에만 열중했다. 그 모습을 보면서 잎싹은 우울증에 빠지고 말았다.

벌써 며칠째인가, 알을 낳지 못한 것이. 닭장에 있을 때야 그럴 마음이 통 없었다지만 이제는 목의 깃털도 자랐고 건강해졌는데, 알을 간절히 원하는데도 낳을 것 같은 느낌이 들지 않았다. 가슴이 뿌듯해지고 혼자 있어도 충분히 행복해지는 그런 느낌 말이다.

"나한테는 소망이 있어. 알을 품어서 병아리의 탄생을 보는 것! 하지만……."

어쩌면, 어쩌면 끝내 알을 낳지 못할 거라는 생각이 들곤 했다. 그럴 때마다 잎싹은 갑갑했다. 들판을 쏘다니고 싱싱한 먹이를 찾는 일밖에는 할 게 없는 생활이 철망 생활과 별로 다르지 않았기 때문이다.

"쓸데없는 생각은 몸에 해로워. 나는 알을 낳을 거야, 그렇고 말고! 보금자리만 있다면."

잎싹은 자신을 위로했다. 밤마다 족제비를 걱정하며 잠을 설치는 곳에서 알을 낳을 수는 없다고. 그러나 그건 핑계였다. 어둠 속에서 족제비의 눈이 번득이는 통에 뜬눈으로 밤을 지샌 일은 종종 있었다. 하지만 그 때마다 개도 족제비의 냄새를 맡고 으르렁거렸다. 결국 족제비는 근처에 오지 못했고 잎싹은 마당으로 냅다 뛰지 않고도 무사할 수 있었다.

"만약 그럴 수 없다면……. 뭘 바라며 살까."

잎싹은 쓸쓸했다. 청둥오리 때문에 더욱 쓸쓸했다.

얼마 전, 청둥오리에게 짝이 생겼다. 청둥오리 곁에는 언제나 깃털이 뽀얀 오리가 붙어다녔고 그들은 장난도 곧잘 쳤다. 오리의 무리를 따라서 저수지에 처음 가던 날, 잎싹은 청둥오리가 뽀얀 오리에게 물장난을 치고 등에 올라타는 모습을 보았다. 늘 외로웠던 청둥오리에게 짝이 생겨서 다행이었다. 그러나 청둥

오리의 외로움이 전염병처럼 잎싹에게 옮겨 오고 말았다.

단짝이 생긴 뒤부터 청둥오리는 달라졌다. 오리 떼의 끄트머리를 따라다니지 않았고, 아예 헛간으로 돌아오지 않는 날도 있었다. 그러면 잎싹은 마음이 불안해서 잠을 잘 수가 없었다.

잎싹이 밭에서 아침을 먹을 때였다. 오리들이 야산의 모퉁이를 지나 저수지로 가기 시작했다. 오늘도 무리의 끝에 청둥오리는 없었다.

"나그네는 어디로 갔을까?"

잎싹은 오리의 행렬이 야산의 모퉁이를 돌아 사라질 때까지 바라보다가 그들을 따라갔다. 청둥오리를 본다면 마음이 놓일 것 같아서였다. 그러나 저수지에도 청둥오리는 없었다. 뽀얀 오리도 보이지 않았다.

"떠난 거야. 가 버렸다고."

잎싹은 몹시 섭섭했다. 친구인 줄 알았는데 한마디 인사도 없이 떠나다니. 진작 그런 낌새를 챘더라면 마음으로라도 작별을 했을 텐데.

"떠나고 싶은 건 바로 나야. 나야말로 마당을 떠나고 싶어."

잎싹은 처음으로 닭장이 그리웠다. 그 때는 그래도 알을 낳을 수 있었다.

"다른 암탉처럼 살았다면, 그랬다면 사는 게 쓸쓸하고 지겹지 않았을걸. 이제는 모르겠어. 내가 뭘 할 수 있을지."

잎싹은 우두커니 서서 마당으로 가는 길을 바라보았다. 갑자기 그 길이 무척 멀게 느껴졌다.

"가고 싶지 않아."

이상한 일이었다. 청둥오리 때문에 마당에서 살려던 게 아니었는데도, 청둥오리가 없으니까 그 곳에 돌아가고 싶은 마음이 사라지고 말았다. 더위를 피해서 잠이나 실컷 자고 싶을 뿐이었다.

"마당 식구들은 날 싫어해."

잎싹은 마당에 돌아가지 않기로 마음먹었다. 더 이상 아카시아나무 아래에서 헛간을 바라보며 살기가 싫었다.

야산 자락에 찔레덤불이 보였다. 전에는 눈여겨보지 않아서 잘 몰랐는데 적당히 우거진 모양이 더위를 피하기에 좋아 보였다.

"보금자리가 꼭 마당에 있어야 할 필요는 없지."

잎싹이 들판을 지나서 찔레덤불로 거의 다 갔을 때였다. 난데없이 외마디 비명 소리가 났다.

"꽤애액!"

"……?"

순간, 털이 쭈뼛 곤두섰다. 비명 소리가 워낙 짧아서 들판은 금세 조용해졌다. 그런데 뭔가 심상치 않은 게 눈앞을 쓱 지나갔다. 뭉툭한 꼬리 같은 것이 고사리가 우거진 곳으로 스며들

듯 없어져 버린 것이다. 고사리 잎이 잠시 움직였을 뿐 어떤 소리도 나지 않았다.

잎싹은 꽤 오랫동안 박힌 듯이 서 있었다. 심장이 서늘해지도록 아픈 소리가 가슴 벽에 이리저리 부딪히는 느낌이었다. 현기증이 나고 눈앞이 붉은빛으로 가득 찼다. 천천히 눈을 떠서 붉은빛을 몰아 낸 잎싹은 주의 깊게 사방을 살폈다.

'나그네!'

께름칙했다. 죽음의 구덩이에서 느꼈던 것처럼 소름끼치는 기분. 그렇다면 당장 이 곳을 떠나야 하는데도 무슨 일인지 알고 싶은 호기심 때문에 잎싹은 찔레덤불 쪽으로 계속 걸어갔다. 어쩐지 청둥오리의 비명 소리를 들은 것 같아 발길을 돌릴 수 없었다.

'정신을 바짝 차려야지. 괜찮아, 아무도 날 해치지 못해.'

잎싹은 용기를 잃지 않으려고 발톱에 힘을 주고 눈을 부라린 채 한발 한발 걸어 나갔다.

'틀림없이 나그네 목소리였어. 그렇게 겁먹은 비명은 처음이야.'

각오를 단단히 했다. 어떤 공격을 받더라도 물러서지 않겠다고. 그게 설사 족제비라고 해도 청둥오리 일이라면.

잎싹은 온 신경을 곤두세우고 찔레덤불까지 다가갔다. 그러나 아무것도 보이지 않았다. 족제비는커녕 청둥오리의 깃털 하

60

나도 발견할 수 없었다. 잘 자란 풀과 적당히 우거진 덤불이 있을 뿐이었다.

"헛소리였나? 후유, 잘못 들었나 봐."

잎싹은 비로소 마음을 놓고 찔레덤불 속으로 고개를 디밀었다. 고사리까지 우거져 있어서 보금자리로 괜찮은 장소였다. 그런데 그 안에 뭔가 있었다.

"세상에! 저게 뭐지?"

너무 놀라서 잎싹은 고개를 빼고 눈을 깜작거렸다. 그리고 다시 얼른 고개를 쑤셔 넣고 보았다.

"예쁘기도 해라!"

약간 푸른빛이 도는 흰 알이었다. 아직 깃털에 싸이지도 못한 하나의 알. 크고 잘생겼지만 어미가 품었던 흔적은 전혀 보이지 않았다.

잎싹은 알의 어미가 근처에 있지 않을까 하고 주변을 둘러보았다. 하지만 아무도 없었다. 가슴이 마구 뛰었다.

"누가 낳았을까? 이럴 때는 어떡하지, 어쩌면 좋아."

잎싹은 꼬꼬거리며 덤불 주변을 오락가락했다. 누구 알인지 몰라도 그냥 둘 수는 없었다. 따뜻하게 감싸 주지 않으면 죽을 것만 같아 마음이 조마조마했다.

"어미가 올 때까지만. 그래, 그 때까지만이라도!"

잎싹은 덤불 속으로 들어가서 조심스레 알 위에 엎드렸다.

'아직 따뜻하구나. 낳은 지 얼마 안 됐어. 하마터면 큰일날 뻔했지. 내가 너를 품어 주마. 무서워하지 마라.'

두려운 마음이 씻은 듯이 사라지고 평온해졌다. 조금 뒤에는 여태 느끼지 못했던 색다른 기쁨마저 솟아났다. 잎싹은 눈을 지그시 감고 가슴 밑의 생명이 전하는 따뜻함을 느꼈다.

찔레덤불 속은 밖에서 볼 때보다 훨씬 아늑했다. 저녁이 되자 떡갈나무 그늘보다 빨리 어두워졌고 바람 소리도 작게 들렸다.

"난 이제 알을 못 낳아. 말은 안 했어도 사실이야. 하지만 이젠 괜찮아. 알을 품게 됐는걸. 그토록 바라던 걸 이루게 됐잖아."

잎싹은 어둠 속에 누가 있기라도 한 것처럼 말했다.

"겨우 하나뿐이지만 괜찮아."

잎싹은 그 동안 낳은 수많은 알 중에 하나를 되찾았다고 믿고 싶었다. 하지만 늦게라도 알의 어미가 오면 어쩌나 싶어서 보이지 않는 어둠 저쪽을 뚫어져라 볼 수밖에 없었다. 다행스럽게도 밤이 깊도록 찔레덤불로 돌아온 어미는 없었다.

풀벌레 소리마저 잦아들 무렵, 잎싹은 부리로 가슴털을 뽑아냈다. 따뜻한 몸으로 알을 느끼며 품어야 하기 때문이다. 털을 뽑는 동안 잎싹은 목이 메었다. 알을 품는다는 사실이 꿈만 같았다.

'이건 내 알이야. 내 이야기를 들을 수 있는 아기, 나만의 알!'

잎싹은 맨가슴에 닿는 알이 사랑스러웠다. 알의 어미가 나타난다고 해도 내줄 수가 없을 것 같았다.

잎싹은 알을 품는 데에만 신경을 썼다. 그래서 껍데기 속에서 너무나 조그맣게 뛰는 심장 소리마저 느낄 수 있었다.

아침이 되었다. 어제와 전혀 다른 아침, 모든 것이 달라진 날이 시작되었다.

잎싹은 알을 깃털 속에 묻어 두고 밖으로 나왔다. 그리고 이슬 맺힌 풀잎을 조금 뜯어 먹었다. 알을 품는 동안에는 멀리 갈 수 없으니 적당히 먹고 견뎌야 했다.

오리들이 수로를 따라 저수지로 가고 있었다. 우두머리가 앞에 서고 어린 오리가 가장 뒤에 섰다. 청둥오리는 여전히 거기에 없었다. 아마도 영영 헛간을 떠나 버린 모양이었다. '작별 인사를 했더라면 좋았을걸.' 하는 생각이 또 들었지만 전처럼 쓸쓸하지는 않았다.

잎싹은 알을 더 따뜻하게 해 줄 검불을 찾아 물었다. 그리고 찔레덤불 속으로 들어가려고 했다. 그런데 뒤에서 기척이 났다. 어찌나 놀랐는지 하마터면 검불을 떨어뜨릴 뻔했다.

세상에! 거기에 청둥오리가 서 있는 게 아닌가. 지치고 슬퍼 보이는 얼굴로 청둥오리가 잎싹을 뚫어져라 보고 있었다. 반가웠지만 잎싹은 꼼짝하지 않았다. 알을 들키면 어쩌나 걱정이 앞섰다.

청둥오리는 털이 숭숭 뽑힌 잎싹의 가슴을 말없이 보다가 조용히 앉았다. 잎싹도 찔레덤불로 들어가 알을 품었다.

청둥오리를 다시 보니까 마음이 놓였다. 그 동안 무슨 일이 있었는지 궁금했지만 아무것도 묻지 않았다. 청둥오리도 입을 열지 않았다. 하지만 가끔씩 날갯죽지에서 머리를 빼고 슬픈 눈으로 잎싹을 보았다. 그 때마다 잎싹은 생각했다.

'나그네 표정이 왜 저렇게 어두울까? 뽀얀 오리는 왜 옆에 없을까?'

청둥오리는 날이 새도록 찔레덤불 곁을 떠나지 않았다. 잎싹은 청둥오리가 외로워 보여서 마음이 아팠고, 알에 대해 이것저것 묻지 않아서 고마웠다.

저수지 쪽에서 물안개에 싸인 해가 솟을 무렵, 청둥오리는 다른 오리들처럼 저수지로 갔다. 그리고 얼마쯤 있다가 다시 왔는데, 부리에 물고기 한 마리가 물려 있었다. 청둥오리는 그것을 찔레덤불 앞에 놓고 갔다.

이별과 만남

청둥오리는 날마다 물고기를 물어 왔다. 덕분에 잎싹은 배를 곯지 않고 알을 품을 수 있었다.

왜 헛간에 돌아가지 않는지, 왜 먹이를 챙겨 주는지, 왜 문지기처럼 밤마다 덤불 주변을 서성거리는지 모든 게 궁금했지만 물을 수가 없었다. 먹이를 줄 때말고는 청둥오리가 찔레덤불 가까이 오는 일이 없었고, 잎싹도 꼼짝없이 알을 품어야 했기 때문이다.

잎싹은 가슴 밑의 알에게 속삭이곤 했다.

"아가야, 나그네는 가끔 산등성이까지 올라가서 먼 곳을 본단다. 무엇을 보는 걸까? 저수지보다 더 먼 곳을 보는 것 같아."

청둥오리는 가끔 날개를 퍼덕이며 뛰어다녔다. 마당에서는 한 번도 그런 적이 없어서 잎싹은 이상하다고 생각했다. 청둥오리가 뒤뚱거리며 뛰어다니는 것을 처음 보던 날, 잎싹은 놀라서 알에게 속삭였다.

"아가야, 나그네의 오른쪽 날개가 펴지지 않아. 무슨 일이 있었나 봐. 하지만 왼쪽 날개는 보기보다 크고 힘차구나. 헛간의 오리들과는 다른 날개야."

잎싹은 청둥오리가 날개를 펴고 뛰어다닐 때마다 알에게 많은 이야기를 들려 주었다. 어떤 날에는 자장가를 계속 부르기

도 했다. '꽉꽉' 소리가 너무 커서 알이 놀랄까 봐 걱정스러워
서였다.

　청둥오리는 달빛이 환한 밤에 주로 날개를 펴고 뛰어다녔다.
그 모습은 춤추는 것처럼 보였지만 온 산을 울리는 소리 때문에
잎싹은 적잖이 신경이 쓰였다.

　'나그네가 점점 이상해지고 있어. 도대체 왜 저런담?'

　그러나 잎싹은 왜 그러는지 묻지 않았다. 하루도 빠짐없이 먹
이를 갖다 주는 청둥오리를 무안하게 할 수는 없었다.

보름달이 기울기 시작하자 청둥오리가 밤에 춤추는 날이 더 많아졌다. 잎싹의 걱정도 점점 늘었다. 초승달이 차오를 때부터 품어서 알 속의 아기는 거의 다 자랐다. 실제로 심장 뛰는 소리가 느껴질 정도니까. 달이 조금만 더 스러진다면 알이 깰 텐데 아무래도 청둥오리가 아기를 놀라게 할까 봐 신경이 바짝 쓰였다.

며칠이 더 지났다. 그렇지 않은 날도 있었지만 청둥오리는 그 이상한 춤을 여전히 추었고 잎싹은 참을성 있게 지켜보았다.

그러던 어느 날, 청둥오리는 한잠도 자지 않고 난리를 쳤다. 무엇에 쫓기듯 이리저리 뛰는 모양이 전보다 더욱 심했다. 도저히 잘 수가 없었던 잎싹은 이제야말로 청둥오리를 달랠 수밖에 없다고 결심했다.

'나그네가 좋은 친구라는 건 알지만 이건 정말 너무해!'

청둥오리가 저수지에 갔을 때에야 잎싹은 겨우 눈을 붙였다.

청둥오리가 물고기를 물고 왔다. 잎싹은 졸음에 겨운 눈을 간신히 뜨고 고개를 저었다.

"이제부터는 그러지 마. 밤에 소리내지 않았으면 좋겠어."

청둥오리는 잠자코 있었다. 몹시 지친 모습이었다. 난리를 치느라 한잠도 못 잤으니 당연했다.

"나한테 정말 잘 해 주었어. 너무 고마워서 절대로 잊지 못할 거야. 하지만 너도 알다시피 나는 알을 품는 중이잖아."

청둥오리는 여전히 말이 없었다. 기분을 상하게 한 것 같아서 잎싹도 더 말할 수가 없었다. 죽음의 구덩이에서 구해 주었고, 헛간에 묵을 수 있도록 마당 식구들과 맞섰고, 먹을 것도 구해 주었는데 불평을 하다니.

청둥오리는 생각에 빠진 듯 저수지 쪽만 바라보았다. 미안한 마음이 들어서 잎싹은 조심스레 다시 말했다.

"나는 괜찮아. 이제는 발톱도 단단하고 부리도 강해. 족제비가 나타난다고 해도 호락호락 당하지 않을 거야. 그러니까 날 두고 떠나도 돼."

청둥오리가 잎싹을 쳐다보았다. 족제비라는 말이 신경 쓰였는지 목 깃털이 치르르 떨리고 있었다.

"알이 깰 때까지, 어쩌면 그믐달이 뜰 때까지만……."

청둥오리가 혼잣말처럼 중얼거렸다. 청둥오리가 왜 알이 깨기를 기다리는지 알고 싶었지만 그것뿐이었다. 청둥오리는 엉뚱하게도 "같이 헤엄칠 수 있다면……." 하고 중얼거리더니 저수지로 다시 갔다.

그 날 밤은 조용히 지나갔다.

잎싹은 달의 변화를 꼼꼼히 따져 보았다. 알을 품는 동안 초승달이 차서 보름달이 되었고, 그믐달이 되려고 날마다 조금씩 작아지고 있었다. 생각보다 부화가 늦기는 해도 심장 소리가 나무랄 데 없이 좋은 편이었다.

청둥오리는 늘 그랬듯이 먹이를 가져왔다. 잎싹은 그에게 불평한 것이 마음에 걸려서 사과를 하고 싶었다.

"소리를 작게 낸다면 괜찮을 거야. 날개를 펴고 그렇게 하는 거, 사실은 춤추는 것 같았어. 날아가는 것 같기도 하고, 멋지게 훨훨."

잎싹은 청둥오리의 마음을 풀어 주려고 날개를 펴고 흔들었다. 그러나 고작 먼지만 일으켰다. 날지도 못하는 모양뿐인 날개.

"날아간다고?"

청둥오리가 조용히 되물었다. 그리고 쓸쓸해 보이는 얼굴로 저수지 너머를 보면서 "다시 날았으면……." 하고 중얼거렸다.

"네 날개는 다르게 보였어. 마당의 오리들과는 분명히. 오른쪽 날개는 좀 그렇지만."

"그래, 아마 우스워 보였을 거야. 오른쪽 날개는……."

청둥오리는 한참 동안이나 잠자코 있으면서 잎싹이 미꾸라지를 맛있게 쪼아 먹는 모양을 지켜보았다.

잎싹은 운동 삼아 땅을 후벼파고 흙 목욕도 하였다. 근질거리던 몸이 한결 개운해졌다.

"알이 깰 때가 거의 다 됐지?"

청둥오리가 다정하게 물었다.

"늦되는 아기인가 봐, 벌써 깼어야 하는데."

잎싹은 청둥오리와 마주 앉아 이야기를 나누는 게 좋았다. 이제야 진짜 친구가 된 것 같았다.

"저, 말야, 나중에 알이 깨면…… 넌 암탉인데……."

청둥오리가 말을 더듬거렸다. 공연히 부리로 땅을 쿡쿡 두드리느라 말을 끊기도 했다. 잎싹은 청둥오리의 행동이 조금 답답했다.

"나, 이름 있어. 내가 지은 이름."

"그래? 들어 본 적 없는데."

"아무도 모르니까. 잎싹이라고 불러 줄래?"

"잎싹? 풀잎, 나뭇잎, 그런 것처럼?"

"그래, 그런 뜻이야. 그보다 훌륭한 이름은 없을 거라고 생각해. 잎사귀는 좋은 일만 하니까."

청둥오리도 잎싹이라는 이름이 어째서 훌륭한지 생각하는 듯했다. 가끔 부리로 꽁지에 있는 기름을 발라서 깃털을 다듬으며.

"잎사귀는 꽃의 어머니야. 숨쉬고, 비바람을 견디고, 햇빛을 간직했다가 눈부시게 하얀 꽃을 키워 내지. 아마 잎사귀가 아니면 나무는 못 살 거야. 잎사귀는 정말 훌륭하지."

"잎싹이라……. 그래, 너한테 꼭 맞는 이름이야."

잎싹은 흐뭇했다. 이름을 불러 주는 친구가 있다는 것은 기분 좋고 가슴이 두근거리는 일이었다. 잎싹은 청둥오리에게 불만을 갖지 말아야겠다고 생각했다. 밤중에 떠드는 것쯤은 이해할

수 있어야 친구니까.

"그런 이름이 없어도 너는 충분히 훌륭한 암탉이야. 너한테 이 말을 꼭 해 주고 싶었어."

청둥오리의 말에 잎싹은 가슴이 뜨끔했다. 훌륭한 암탉이라는 말은 듣기 거북했다. 잘못을 들킨 것 같아서 잎싹은 당황했다. 청둥오리가 알에 대해서 알게 된다면 얼마나 놀랄까. 뻔뻔스러운 암탉이라고 화를 낼지도 모른다.

잎싹은 청둥오리를 똑바로 보지 못하고 자리로 돌아와 알을 품었다.

'어쩔 수 없는 일이야. 누구한테도 말하지 않겠어, 친구라고 해도! 내 아기니까. 내가 품었고 내가 키울 거니까 틀림없이 내 아기야.'

그렇게 생각해도 괴로운 마음은 없어지지 않았다. 그러나 아무리 그렇다고 해도 알에 대해서만큼은 입도 뻥끗하지 않기로 했다.

"오른쪽 날개는 어떻게 된 거야? 뽀얀 오리는 어떻게 됐고?"

잎싹은 약간 딱딱한 말투로 말을 돌렸다.

순간, 청둥오리가 고개를 쳐들었다. 부드럽던 태도가 싹 변했다.

"그 녀석 이야기는 그만둬!"

잎싹은 깜짝 놀랐다. 누구 이야기를 그만두라는 것인지 알 수가 없었다. 청둥오리는 마치 족제비를 보기라도 한 것처럼 목 깃털을 곤두세우고 떨었다. 그리고 중요한 사실을 깜빡 잊었다는 듯 긴장하더니 재빨리 주변을 둘러보는 것이었다.

잎싹은 청둥오리를 화나게 한 것이 미안해서 변명을 늘어놓았다.

"둘이 헛간을 떠났다고 생각했거든. 마당 식구들이 널 좋아한 건 아니었잖아. 함께 살기는 했어도 외톨이었고. 아, 아니, 내 말은……."

"……."

"뽀얀 오리는 네 짝이었잖아. 나도 친구지만, 나야 뭐."

"그만두라니까!"

청둥오리가 '꽥' 소리지르는 바람에 잎싹은 하려던 말을 꿀꺽 삼켰다. 청둥오리가 벌떡 일어나더니 식식대며 걸어갔다. 유난히 뒤뚱거리는 모양이 단단히 화가 난 게 분명했다. 왜 그렇게 화가 났는지 잎싹은 도무지 알 수가 없었다.

청둥오리가 다시 식식대며 다가왔다. 그리고 화낸 것이 미안했는지 목소리를 낮춰서, 그러나 여전히 무뚝뚝한 투로 말했다.

"달이 얄팍해졌어. 그건 알이 깰 때가 되었다는 거야."

"그래. 때가 되고도 남았지."

"잎싹아, 너는 사려 깊은 암탉이니까 어떻게 하는 게 좋을지 알 거야. 알이 깨면 여기를 떠나. 그리고 저수지로 가는 거야,

마당으로 가지 말고. 달이 기울었듯이 족제비의 배도 비었다는
걸 잊지 마."

"……?"

잎싹은 어리둥절했다. 청둥오리가 마치 떠날 것처럼 말하지
않는가. 화가 났기 때문일까? 게다가 한꺼번에 여러 가지 이야
기를 들려 주었다. 무슨 뜻인지 알아듣기 어려운 이야기를.

"족제비의 배가 비었다니?"

"아직은 괜찮을 거야. 그래도 만약을 위해서 말해 두는 거야.
마당으로 가지 말고 저수지로 가."

"왜?"

청둥오리는 더 말하지 않았다. 이리저리 걸어다니며 주변을
살펴더니 산등성이로 올라가서는 먼 곳을 바라볼 뿐이었다.

잎싹은 긴장했다. 아무래도 족제비라는 말이 거슬렸다. 찔레
덤불로 온 뒤부터 족제비에 대해서 까맣게 잊고 있었다. 알을
품는 동안 한 번도 소름끼치는 눈빛을 보지 못한 까닭이었다.

'맞아. 족제비에게 들켰다면 나는 위험했을 거야. 아니면 내
아기가 당했겠지. 아, 끔찍한 일이다.'

밤이 되었다.

잎싹은 족제비 생각을 떨칠 수가 없었다. 밤 바람에 나뭇잎이
흔들리는 소리에도, 달빛을 받은 풀잎이 슬쩍 움직이기만 해도
족제비가 다가온 것 같아 가슴이 서늘해졌다.

청둥오리는 찔레덤불 바로 앞에서 날갯죽지에 머리를 묻고 있었다. 쏟아지는 잠을 당할 수가 없는 모양이었다. 잎싹은 청둥오리가 잠들어서 불안했다. 전처럼 춤이라도 추고 소리를 질러 댄다면 덜 무서울 것 같았다. 그러자 문득 생각났다.

'설마 족제비 때문에? 나그네가 밤마다 소란피운 게 족제비 때문이었을까? 겁주려고? 어쩌면 그랬을지도 몰라. 맞아, 그랬던 것 같아!'

잎싹은 더욱 불안했고 정신이 말짱해졌다.

'왜 나를 보호할까? 친구라고 해도 너무 과분해. 나는 오리도 아닌데……'

잎싹은 하늘을 올려다보았다. 별빛이 흐리고 뿌옇게 달무리가 졌다. 곧 축축한 날이 다가올 징조였다. 갑자기 죽음의 구덩이가 생각났다. 그 날도 비가 내렸다.

잎싹은 두려움을 참지 못하고 벌떡 일어났다.

"족제비가 온다면, 만약 그렇다면 용감하게 맞서야지. 발톱을 세우고, 사정없이 부리로 쪼고, 날개를 퍼덕일 거야. 사납게 소리칠 거야!"

잎싹은 눈을 부릅뜨고 어둠 속을 노려보았다. 왠지 어둠 저편에 벌써 족제비가 와 있는 듯한 느낌이 들었다. 눈을 가늘게 뜨고 허기진 배를 달래며 입맛을 다시며 노려보고 있는 사냥꾼.

"나그네야, 일어나."

잎싹은 청둥오리를 깨웠다. 청둥오리가 놀라서 고개를 쳐들었다.

"때가 되었니?"

청둥오리가 대뜸 물었다. 잎싹만큼이나 청둥오리도 알이 깨기를 간절히 기다리고 있었다.

"아니. 하지만 날이 밝는 대로 깰지도 모르지. 시간을 너무 끄는 걸 봐서는 장닭이 태어날지도 모르겠는걸. 하하하!"

잎싹은 일부러 큰 소리를 내서 웃었다. 그렇다고 두려움이 사라진 건 아니었다.

"난 정말 걱정스러워. 족제비가 오면 어쩌지?"

잎싹의 표정은 금방 어두워졌다. 하지만 청둥오리는 그렇지 않았다.

"다행이야! 날이 밝는 대로라…… 좋아!"

청둥오리가 탄성을 질렀다. 그리고 억지로 잠을 깨려는 듯 깃털을 부르르 떨고는 주위를 두리번거렸다. 매우 신중한 태도가 알을 지키는 어미와 조금도 다르지 않았다. 잎싹은 청둥오리에게 미안하면서도 고마웠다.

"나그네, 아무래도 너한테는 말해야겠어. 사실은……."

잎싹은 모든 것을 털어놓기로 했다. 처음부터 지금까지 돌봐준 친구를 속이는 것이 마음에 걸렸다.

"나에겐 소망이 하나 있었어. 알을 품어서 병아리의 탄생을 보는 거야. 닭장에서는 도저히 불가능한 일이었지. 그래서 더 이상 알을 낳고 싶지 않았는데…… 나는 영원히 그럴 수 없을 줄 알았는데…….”

“잎싹아, 너는 훌륭한 어미닭이야.”

“아냐, 그런 말을 듣자는 게 아냐.”

“그래도 말하고 싶어. 나는 날지 못하게 된 야생 오리고, 너는 보기 드문 암탉이야.”

“그래. 그렇다고 해도…….”

“그러면 된 거야. 우리는 다르게 생겨서 서로를 속속들이 이해할 수 없지만 사랑할 수는 있어. 나는 너를 존경해.”

잎싹은 갑자기 숨이 멎는 것 같았다. 가끔 청둥오리는 정말이지 알 수가 없는 친구였다.

“이해하지 못해도? 어떻게 그럴 수가 있어?”

“넌 잎사귀처럼 훌륭한 어미닭이라는 걸 내가 아니까.”

잎싹은 입을 다물었다. 왠지 이제는 알에 대해서 고백한다는 게 그다지 중요한 일 같지 않았다.

“나는 족제비란 놈을 잘 알아. 타고난 사냥꾼이라 우리는 녀석을 당해 낼 수 없어. 녀석은 내가 본 어떤 족제비보다 크고 강하단 말이야. 지금은 괜찮다고 해도 나중에는 결국 족제비가 우리를 사냥할 거야. 그러기 전에 우리는 우리 일을 끝내야만 해.”

청둥오리의 말은 엉뚱했지만 허투루 들리지 않았다. 가슴이 두근거리기 시작했다. 두려움을 잊고 지냈던 많은 날들이 생각나서 소름이 오싹 돋았다. 그토록 편안하게 지냈다는 게 신기하기만 했다.

"내일은 알이 깼으면 좋겠어, 더 늦기 전에. 나도 이제 지쳤거든. 녀석도 더 이상은 참지 못할 거야."

"……."

잎싹은 찔레덤불에서 멀어지며 중얼거리는 청둥오리를 물끄러미 바라보았다. 청둥오리와 족제비 사이에는 잎싹이 모르는 어떤 일이 있는 게 틀림없었다. 잎싹은 더욱 불안해졌다.

"난 이제 괜찮아. 녀석도 배가 부르면 한동안 잠잠하겠지. 괜찮아, 알만 깨면. 준비가 됐어. 그렇고말고……."

청둥오리의 말은 이제 들리지 않게 되었다. 청둥오리는 멀찌감치 떨어진 곳으로 가서 앉았고, 자려는 듯 날갯죽지에 머리를 묻었다.

잎싹의 깃털이 곤두섰다. 마치 청둥오리가 족제비 때문에 그랬듯이. 잎싹은 아래쪽에 있던 부분이 가슴에 닿도록 알을 돌려서 다시 품었다. 청둥오리가 있으면 아무 일도 일어나지 않고 아침이 될지도 모른다. 그렇게 믿고 싶었다. 웬일인지 풀잎이 서로 몸을 비비는 소리조차 나지 않았다. 사방이 고요했고 차츰 졸음이 몰려왔다.

까무룩 잠이 들었다. 아주 잠깐 졸았을 것이다.

"꽤애액!"

눈이 번쩍 뜨였다. 청둥오리의 비명이었다. 짧고도 소름끼치는 소리가 가슴을 후비고 들어왔다.

"아!"

달도 없는 캄캄한 어둠 속에서 청둥오리가 안간힘을 쓰면서 퍼덕이고 있었다. 버둥거리는 날갯짓, 물고늘어진 검은 몸뚱이. 목이 단숨에 물렸는지 비명 소리는 더 나지 않았다. 제 목을 물리기라도 한 듯 잎싹은 덩달아 숨통이 조여들어 진저리를 쳤다.

"나그네!"

잎싹은 벌떡 일어나 뛰어나갔다. 눈을 부릅뜨고 날개를 퍼덕이면서.

족제비가 청둥오리를 문 채 잎싹을 노려보았다. 심장이 얼어붙을 만큼 매서운 눈초리. 어둠을 꿰뚫고 번득이는 눈빛이 더 이상 다가오지 말라고 경고하고 있었다.

잎싹은 멈칫했다. 발톱이나 부리로 당해 낼 만한 상대가 아니었다. 잎싹은 부들부들 떨면서 비참한 광경을 지켜봐야만 했다. 친구가 죽어 가는 광경을, 축 늘어진 채 물려 가는 모습을.

족제비는 어둠 속으로 사라졌고, 숲과 들판은 너무나 금방 조용해졌다. 소중한 목숨이 순식간에 사라졌어도 세상은 담담했다. 못 본 척 숨죽인 나무들, 별, 달, 풀…….

잎싹은 청둥오리가 끌려간 쪽으로 달려갔다. 그러나 어둠뿐, 어디에도 흔적은 남아 있지 않았다. 깃털 하나라도 찾아 내고 싶은 심정으로 잎싹은 캄캄한 산 속을 정신 없이 헤매고 다녔다.

'나그네가 죽었어! 그런데도 난 가만히 있었어! 무서워서 꼼짝도 못 했어!'

잎싹은 울음을 참을 수가 없었다. 아무 일도 하지 못한 자신이 원망스러웠고, 혼자서 버둥거리다가 죽어 간 친구 때문에 가슴이 아팠다.

족제비의 눈초리는 생각할수록 두려웠다. 닭장을 나왔을 때부터, 마당 가장자리에 사는 동안에도 피할 수 없는 눈빛이었다. 청둥오리 덕분에 몰랐을 뿐, 이 곳도 안전한 보금자리는 아니었다.

"족제비 때문에 밤마다 깨어 있었던 거야. 나를 위해서, 내 알을 지키려고. 전처럼 깨어 있을 것이지, 소리라도 지를 것이지. 가엾게도! 나그네는 지칠 대로 지쳤던 거야."

잎싹은 몸서리를 쳤다. 족제비로부터 도망치지 못하면 청둥오리처럼 죽는다는 사실을 깨닫자 끔찍하게 무서웠다. 살아 있다는 것은 도무지 안심할 게 못 되었다. 아주 잠깐 사이에 모든 게 끝날 수 있기 때문에.

아침이 되었다.

청둥오리가 늘 앉았던 자리를 비추며 해가 솟아오르기 시작했다. 언제나 그랬던 것처럼 저수지 쪽에서 물안개에 젖어 솟는 해. 하지만 깃털을 털면서 해를 지켜보던 청둥오리가 이제는 없다. 어디에도 없다.

'절대로 널 잊지 못할 거야, 내 친구야!'

잎싹은 해를 향해서 홰를 쳤다. 친구에게 작별하는 마음으로.

문득 간밤에 혼자 있었을 알이 생각났다. 잎싹은 찔레덤불로 종종걸음쳤다.

"저건……!"

잎싹은 눈을 의심했다. 하지만 눈앞의 일은 상상이 아니었다. 찔레덤불 속에서 아기가 아장아장 걸어 나오지 않는가. 혼자서 알을 깨고, 어느 새 털까지 보송보송해진 기특한 것이 까만 눈을 빛내며 잎싹을 바라보고 있었다.

"오, 세상에!"

잎싹은 넋을 잃고 서 있었다. 알 속에 아기가 있다고 믿었지만, 그래도 이건 정말 꿈만 같았다. 작은 눈, 작은 날개, 작은 발. 모든 게 다 작았다. 그런데 앙증맞게도 다 살아서 움직였다.

"아가야, 너였구나!"

잎싹은 달려가서 날개를 펴고 아기를 감싸안았다. 작지만 따뜻한 온기를 가진 진짜 아기였다.

저수지로 가는 오리들 소리가 들려 왔다. 어제와 달라진 게 없는 듯해도 잎싹에게는 특별한 아침이었다. 들판 구석구석에서는 쉬지 않고 무슨 일이 일어난다. 누가 죽는가 하면, 또 누가 태어나기도 한다. 이별과 만남을 거의 동시에 경험하는 일도 있는 것이다. 그래서 언제까지나 슬퍼할 수만은 없다.

마당을 나오다

잎싹은 서둘러 마당으로 갔다. 연한 갈색 털을 가진 아기를 데리고 당당하게 돌아갔다.

알이 깨면 보금자리를 떠나라던 청둥오리의 말은 허튼 게 아니었다. 아기를 족제비로부터 보호하라는 뜻이었으니까. 그믐달처럼 홀쭉해진 족제비의 배 때문에 밤마다 깨어 있었던 청둥오리. 알이 무사히 깰 수 있도록 그 배를 채워 준 친구. 친구의 죽음으로 번 시간 안에 잎싹은 아기를 데리고 안전한 장소로 가야만 했다.

문지기 늙은 개가 먼저 잎싹을 알아보았다. 한낮의 더위에 늘어져 졸던 중이었다.

"컹컹, 저기를 봐!"

돌담 밑에서 구덩이를 파던 암탉이 놀라서 달려왔다. 그 뒤에 노란 병아리 여섯 마리가 졸졸 따라왔다. 연한 갈색 털이라고는 조금도 없는, 순전히 노란 털만 가진 병아리들이었다.

"저게 누구야?"

암탉이 낯을 찡그렸다. 그리고 수선스레 꼬꼬댁거리며 수탉을 불렀다. 뙤약볕을 싫어하는 수탉은 헛간에서 좀처럼 나오려고 하지 않았다.

잎싹은 아카시아나무 그늘에서 걸음을 멈추고 아기가 걸어오기를 기다렸다. 아기는 태어나자마자 너무 먼 여행을 했다. 오는 도중에 몇 번이나 고꾸라졌지만 서투른 걸음으로 용케 마당까지 왔다.

개가 코를 벌름거리며 아기의 주변을 빙빙 도는 바람에 잎싹은 신경이 날카로워졌다. 암탉과 병아리들도 쉬지 않고 떠들어 댔다.

"꼬꼬댁 꼬꼬꼬."

"삐악삐악."

"어떻게 알을 깔 수가 있었지? 이상한 일이야!"

암탉이 불쾌하다는 듯 말했다. 한창 말을 배우는 병아리들이 입을 모아 따라 했다.

"어떻게 알을 깔 수가 있었지? 이상한 일이야!"

"시끄러워! 이건 배우지 않아도 돼."

90

"시끄러워! 이건 배우지 않아도 돼."

"원, 세상에. 하고 싶은 말도 다 못 하겠네."

병아리들이 "원, 세상에." 하고 또 따라서 하자, 암탉은 재빨리 "맛있는 간식 시간이다!" 하고 두엄 쪽으로 뛰어갔다.

"맛있는 간식 시간이다!"

병아리 여섯 마리도 쪼르르 뛰어갔다.

잎싹은 미소를 머금고 병아리들을 보았다. 아주 귀여운 병아리들이었다. 노란 털이 특히 예쁘게 보였다. 병아리를 자세히 본 적이 없는 잎싹은 아기의 연한 갈색 털도 시간이 지나면 노랗게 될 거라고 생각했다.

잎싹은 날개 밑에 아기를 품고 아카시아나무 아래에 엎드렸다. 누가 뭐라고 해도 아기가 자랄 때까지는 마당을 떠날 수 없다고 마음먹었다. 수모를 당할 테지만 족제비에게 먹히는 것보다 나을 테니까.

"사건이 생기고야 말았군!"

개가 고개를 쳐들고 컹컹 짖었다.

시끄러운 소리를 참지 못하고 수탉이 헛간에서 나왔다. 수탉은 잎싹을 보고 몹시 놀라는 눈치였다. 아직도 살아 있다는 게 믿어지지 않는지 수탉이 잎싹을 보며 왔다갔다했다.

개가 수탉에게 귀엣말을 했다. 그러자 갑자기 수탉이 눈을 부릅떴다.

"그게 정말이냐? 어디, 새끼를 좀 보자."

잎싹은 겁이 났지만 수탉이 시키는 대로 할 생각이 조금도 없었기 때문에 잠자코 있었다.

"오리 새끼를 좀 보자니까!"

수탉이 목 깃털을 곤두세우고 성질을 부렸다. 잎싹은 깜짝 놀랐다. 수탉이 호통쳐서가 아니라 '오리 새끼'라는 말 때문이었다. 암탉이 달려왔고 병아리들까지 와서 잎싹을 에워쌌다.

잎싹은 여전히 아기를 감싸안은 채 일어서지 않았다. 여러 가지 일들이 빠르게 머릿속을 스쳐 갔다. 찔레덤불 속의 알, 청둥오리, 먹이, 비명 소리, 족제비, 연한 갈색 깃털……

'오리 새끼라고?'

그러고 보니 아기의 발가락이 죄다 붙어 있던 게 생각났다. 뭉툭한 부리와 뒤뚱거리며 걷던 모습도. 아직 어려서 그럴 거라고 생각했는데 오리 새끼라니!

함지박에 부리를 디밀었다가 오리에게 콱 물렸을 때처럼 아찔했다. 궁금한 채로 지나갔던 일들의 실마리가 서서히 풀리는 기분이었다.

'찔레덤불로 처음 가던 날 비명을 들었어. 나그네의 비명이라고 생각했지만 어쩌면 그건 뽀얀 오리의 비명이었는지도 몰라. 그랬을 거야. 그러니까 거기에 알이 있었고 나그네가 찾아왔지. 내가 뽀얀 오리가 낳은 알을 품었던 거야. 나그네는 다 알고 있

었어. 알이 언제쯤 깬다는 것도, 자기가 죽을 거라는 사실도 전부 다!'

마지막 날 밤, 청둥오리는 지쳐서 잠이 들었고 족제비에게 당했다. 청둥오리는 알이 곧 부화할 거라는 사실을 알았기 때문에 조용히 목숨을 내놓은 게 분명했다. 족제비의 배가 차 있는 동안 잎싹이 아기와 함께 보금자리를 떠나기 바라면서.

'그래서 마당으로 가지 말고 저수지로 가라고 했던 거야!'

울고 싶은 감정이 목까지 차올라 온몸이 뻣뻣해졌다. 마지막으로 주름진 알을 낳던 날처럼 가슴이 긁히듯이 아팠다. 슬픔이 심하면 몸까지 고통스러운 모양이었다.

'나그네, 너야말로 훌륭한 아버지야! 내가 어떻게 하면 되겠니?'

날개 밑에서 아기가 얼굴을 쏙 내밀었다. 당황스러웠지만 감출 수 있는 일이 아니었기 때문에 잎싹은 그냥 있었다. 아기는 날개 밑에서 나오더니 병아리들 속에 끼어들었다. 털 색깔이 달라도 아기들은 금방 어울려서 놀았다.

'가엾은 것! 저도 병아리인 줄 아나 봐.'

색깔도 모양도 병아리와 다른 아기가 애처로워서 잎싹은 마음이 쓰렸다.

"봐! 내 말이 맞지?"

개가 의기양양하게 짖어 댔다. 수탉이 잎싹을 노려보았고, 암

94

닭은 비아냥거리는 투로 말했다.

"폐계가 알을 낳았을 리 없지! 망측하기도 해라. 그 때 음식점에 팔려 갔더라면 이런 망신은 당하지 않았을걸!"

잎싹은 그게 무슨 말인지 몰라서 암탉을 쳐다보았다. 그러자 수탉이 엄하게 말했다.

"음식점의 요릿감이 되는 게 훨씬 닭답게 죽는 일이란 말이다. 볏을 가진 족속이 남의 새끼를 까다니, 부끄럽지도 않아?"

"그러게 말이야, 닭이 오리 새끼를 까다니. 오래 살다 보니 별 희한한 꼴을 다 보는군!"

개가 빈정거렸다. 기분이 더 나빠진 수탉이 달려들어 쪼려고 하자 개는 슬금슬금 꽁무니를 빼더니 제 집으로 들어가 버렸다. 수탉은 깃털이 곤두선 채로 투덜거렸다.

"볏에 대한 수치야! 꼴불견 암탉 한 마리가 우리 족속을 웃음거리로 만들었구나. 해의 목소리, 해를 닮은 볏에 대해서 감히! 이런 어리석은 암탉 같으니라고!"

수탉은 찡그린 채 마당을 오락가락하면서 고민했고, 가끔씩 걸음을 멈추고 잎싹을 노려보았다.

"이대로는 안 돼!"

수탉이 뭔가를 결심한 듯 말했다.

잎싹도 많은 것을 생각했다. 생각이 뒤엉켜 있기는 해도 분명한 것은 결코 부끄럽지 않다는 사실이었다.

'나는 정성껏 알을 품었고, 아기가 태어나기를 간절히 바랐어. 알이었을 때부터 끊임없이 사랑했단 말야. 단 한 번도 이 속에 뭐가 들었을까 의심하지 않았어. 그런데 병아리가 아니라 오리였지. 하지만 그게 뭐 어때. 아기도 나를 엄마라고 생각하는 걸!'

저녁이 되었다.

저수지에서 오리들이 돌아오자마자 수탉이 회의를 열었다. '꼴불견 암탉과 아기 오리 처리 문제'에 대해서였다.

잎싹과 새끼 오리를 당장 내쫓고 싶은 게 수탉의 마음이었다. 하지만 마음대로 할 수 없었다. 주인 부부가 "웬 암탉이 굴러들어왔지? 토실토실한 게 살집이 좋구나!", "새끼 오리를 거저 얻다니 재수가 좋지 뭐예요. 헛간에 살도록 해야겠어요." 하고 주고받는 말을 엿들었던 것이다.

수탉이 원하지 않아도 잎싹과 아기는 헛간에 살게 될 처지였다. 수탉은 기분이 몹시 나쁜 채로 회의를 열 수밖에 없었다. 어영부영 잎싹과 아기를 받아들이기 전에 우두머리의 체면이라도 지켜야만 했다.

수탉은 횃대에 올라가 모두를 내려다보았고, 암탉은 짚덤불에서 병아리들을 데리고 있었다. 오리들은 오리 우두머리를 중심으로 앉았고, 잎싹은 날개로 아기를 보듬어 안고 문을 등진 채 앉았다. 개는 문지기였기 때문에 앞다리만 헛간에 들이고 수

닭의 말을 들었다.

"모두 알다시피 문제가 복잡해. 암탉이 오리알을 깠어. 그리고 마당에 살려고 찾아왔어. 나는 헛간의 우두머리로서 결정을 내릴 수 있지만 그 전에 오리 의견도 들을 생각이야. 닭과 오리에 대한 문제니까. 꼴불견 암탉을 어떻게 하지? 저 조무래기는 또 어떻게 하지?"

수탉이 경멸하는 눈초리로 잎싹을 노려보았다.

"헛간에 암탉은 나 하나로 충분해. 게다가 아기가 여섯이나 태어나서 헛간이 비좁단 말야. 아기들을 가르칠 일도 걱정이야. '어째서 쟤는 암탉한테 꽥꽥거리며 엄마라고 하지?', '어째서 쟤는 우리와 달라?' 하고 쉬지 않고 물을 게 뻔해. 어떤 아기는 삐악거리지 않고 꽥꽥 소리를 흉내낼지도 몰라. 나는 무질서한 상태에서 아기를 키울 수가 없어. 그러니 꼴불견 암탉과 아기 오리를 내보내는 게 좋겠어."

암탉이 말했다.

"뭐니뭐니해도 질서가 중요하지! 암, 그렇고말고!"

개가 고개를 끄덕이며 맞장구쳤다.

잎싹은 날개 밑에서 나오려고 꼼지락거리는 아기를 힘주어 안았다. 마당 식구들이 아기를 보면 더욱 화를 낼지도 모르니까. 모쪼록 이야기가 잘 되어서 마당에서 살아야 하기 때문이다.

"내 생각에는……."

오리 우두머리가 점잖게 나섰다.

"아기 오리는 약해. 아무것도 배우지 못했는데 그냥 내보낸다면 당장 죽을 거야. 그러니 내보내지 않는 게 좋겠어. 아기 오리는 우리 족속이니까 내 의견이 더 중요하다고 생각해. 얼마 전에 뽀얀 오리와 나그네가 족제비한테 당했잖아. 우리는 가족이 부족해. 게다가 저렇게 어린 아기를 보는 게 얼마 만인지 몰라. 알다시피 우리는 요즘 알을 품지 않잖아."

"말도 안 돼. 가족이 부족하다고? 헛간에 온통 오리뿐인데도 그런 말을 해? 게다가 쟤는 자기가 오리 새끼인 줄도 몰라."

암탉이 코방귀를 뀌었다.

오리 우두머리도 지지 않고 말했다.

"그건 가르치면 돼. 암탉이 깠어도 오리는 오리야. 헤엄도 쳐야 하고 고기도 잡아야지. 내가 가르칠 거야. 내보낼 수 없어. 이게 우리 결론이야!"

"내보내야 돼! 떠돌이들을 다 받아 주면 나중에는 족제비까지 헛간에 들어앉을지 몰라. 이게 바로 그 시작이라고!"

암탉이 날개를 푸덕거리며 쏘아붙였다. 그러자 개가 몹시 언짢은지 투덜댔다.

"대체 나를 뭘로 아는 거야? 빈틈없는 문지기를 우습게 여기는군!"

오리들이 한꺼번에 꽥꽥거렸다. 암탉도 쉬지 않고 꼬꼬거렸

다. 입씨름은 밤이 깊도록 끝나지 않았는데 어찌나 소란한지 주인 부부가 손전등을 켜고 헛간에 왔을 정도였다.

"자리다툼이 벌어졌군. 날이 밝는 대로 조치를 취해야겠어."

주인 남자가 손전등으로 헛간을 구석구석 비춰 보았다. 물그릇이 엎어지고 깃털이 날리고 있었다. 마당 식구들이 조용해지자 손전등 불빛이 잎싹에게 멎었다.

주인 부부가 흐뭇한 표정으로 말을 주고받았다.

"고것 참!"

"제법 쓸 만하지요?"

주인 부부가 헛간을 나갔다. 잎싹은 그 말에 무척 신경이 쓰였다. 날이 밝는 대로 어떤 조치를 취한다는 것인지 궁금해서 주인 부부의 말에 귀를 기울였다.

"닭장에 넣을까요? 아니면 내일 저녁에 탕을 끓여 먹든지."

"마음대로 하구려. 그보다는 새끼 오리가 말이야, 어쩐지 야생 오리 새끼 같아. 가두거나 날개 끝을 잘라야 하지 않을까?"

잎싹은 소스라치게 놀랐다.

'안 돼! 날개 끝을 자르다니!'

주인 부부의 말은 잎싹만 들은 게 분명했다. 수탉 부부와 오리들은 또다시 입씨름을 시작했고 개마저 끼어든 상태였다.

"내보내야만 해! 꼭꼬댁 꼬꼬꼬."

"절대로 안 돼! 꽥꽥꽥."

"나는 문지기로서 소홀한 적이 없었어! 컹컹컹."

'닭장? 나를 끓여 먹는다고? 맙소사!'

가슴이 철렁 내려앉고, 온몸이 부들부들 떨렸다. 족제비 눈빛만큼이나 무서운 말을 듣고 말았다. 마당으로 돌아온 게 몹시 후회가 되었다. 청둥오리는 이 모든 사실을 짐작했던 것일까.

"마당으로 가지 말고 저수지로 가."

잎싹은 아무도 모르게 눈물을 닦았다. 날개 밑에서 떨고 있는 아기와 함께 한시바삐 마당을 떠나고 싶었다. 닭장에 갇히기 전에, 아기가 날개를 잘리기 전에.

밤이 더디게 지나갔다. 주인 부부보다 먼저, 수탉보다 더 먼저 일어나 마당을 떠나야 했기 때문에 잎싹은 결코 잠들 수가 없었다.

해가 뜨는지 야산의 나무들이 어렴풋이 보이기 시작했다. 다른 때 같으면 수탉이 홰를 치려고 깼을 테지만 너무 늦게 잠든 탓에 눈을 뜨지 못했다. 문지기 개도 마찬가지였다.

잎싹은 날개 밑의 아기에게 속삭였다.

"아가, 우리 여길 떠나자. 조용히."

"응, 엄마."

잎싹은 가만히 일어나 발소리를 죽이며 밖으로 나갔다. 아기도 가만가만 뒤를 따랐다. 마당에는 아직도 푸르른 새벽 어둠이 남아 있었다. 하지만 곧 해가 뜰 테니까 염려 없었다.

마당을 지나고 아카시아나무 아래를 지났다. 잎싹은 서글픈 마음으로 마당을 한 번 돌아보았다.

"다시는 이 곳에 오지 않겠어!"

잎싹은 마음을 굳게 먹고 어둠 속을 걸어 나갔다. 발톱에 힘을 주고, 부리를 굳게 다물고, 눈을 부라린 채 앞만 보면서 마당을 떠났다.

떠돌이와 사냥꾼

아기를 데리고 저수지로 가는 길은 무척 험했다. 문지기도, 헛간도 없는 들판 생활이 시작된 것이다. 족제비에 대한 두려움을 잠시도 잊을 수 없는 떠돌이 신세.

'나그네야, 나한테 용기를 줘. 아기가 다 자랄 때까지 지켜 줄 힘이 필요해.'

잎싹은 청둥오리에게 말했다. 전에는 혼자서 묻고 대답하곤 했지만 이제는 청둥오리가 마음 속에 있었다.

저수지에 도착하기도 전에 아기가 기진맥진해서 더 걷기가 어려웠다. 잎싹은 아기를 논둑으로 데려갔다. 논으로 흐르는 봇도랑에서 물을 마시고 벼포기 사이에서 메뚜기를 잡아 배를 채웠다.

소루쟁이 그늘에서 아기는 곧 잠이 들었다. 뜬눈으로 밤을 지샌 잎싹도 쏟아지는 잠을 견디지 못하고 단잠에 빠져들었다.

"꽥꽥! 이 꼴이 뭐야!"

우렁찬 소리가 났다. 그 소리는 귀를 후벼파듯 또렷이 들렸지만 눈이 얼른 떠지지 않았다. 눈꺼풀이 붙어 버린 것처럼 무거웠다.

"쯧쯧, 세상 무서운 줄 모르는구나!"

꽥꽥거리는 소리로 누군가 잎싹을 호통쳤다.

"내 정신 좀 봐!"

잎싹은 벌떡 일어났다. 오리 우두머리가 언덕 위에서 내려다보고 있었다. 그 뒤에 다른 오리들도 보였다.

"왜 도망쳤지? 헛간에 있으면 안전할 텐데."

"그게, 나는 그저……."

잎싹은 머뭇거렸다. 마당이 안전한 곳이 못 된다는 사실을 말하지 않는 게 나을 것 같았다. 주인 부부의 음모를 알아챘다고 말하는 게 무슨 소용이 있을까.

"우리 때문에 너희가 다투는 게 미안했을 뿐이야. 저수지로 갈 거야."

잎싹은 아기와 함께 언덕으로 올라갔다. 그리고 얼마 남지 않은 저수지를 향해서 부지런히 걸었다. 오리들이 아기 곁으로 몰려들었다. 암컷 오리들은 아기가 귀여워서 어쩔 줄 몰라했지만

아기는 오로지 잎싹만 따라왔다.

"알을 품어 줘서 고마워. 저렇게 예쁜 아기는 처음이야. 알을 낳아도 팔려 가거나 부화기로 가니까 우리들 중에는 아무도 아기를 얻은 경험이 없단다. 가족 중에 아기가 있다는 건 정말 기쁜 일이야."

잎싹은 걸음을 멈추었다. 그리고 딱 부러지게 말했다.

"가족이라고? 나는 아기를 줄 생각이 없는걸."

"뭐라고? 그러면 어쩌겠다는 거야? 넌 암탉인데."

"난 엄마야. 아기 날개를 자를 텐데 마당으로 보낼 것 같아?"

"그것 때문에 도망쳤어? 겁낼 것 없어. 조금도 아프지 않아. 따끔할 정도라고. 어쩌면 아픈 것도 모를걸. 날아갈까 봐 그러는 거야."

"날아갈까 봐?"

"이 아기는 집오리보다 야생 오리를 더 많이 닮았어. 집오리로 길들이지 않으면 위험하게 살 거야. 나그네처럼 떠돌이로 살다가 죽는다고."

잎싹은 잠자코 걸었다. 청둥오리처럼 비참하게 죽는 것은 정말 슬프다. 하지만 아기를 오리들에게 줄 생각도 없었다.

우두머리는 잎싹을 끈질기게 따라오며 설득했다.

"나그네를 생각해 봐. 자기 족속이 떠난 뒤부터 죽 외톨이였어. 야생 오리도 아니고 집오리도 아닌 채로 산다는 건 고달픈 일이야. 나그네도 어쩔 수 없는 운명이기는 했지. 족제비에게 짝을 잃고 날개까지 물어뜯겼거든. 날지 못하니까 겨울 나라로 못 돌아갔지."

"날개를 다친 게 족제비 때문이었어?"

"아니면 누가 그랬겠니."

잎싹은 조용히 고개를 끄덕였다. 청둥오리가 족제비 소리만 들으면 목 깃털을 떨던 모습이 생각났다.

"뽀얀 오리랑 짝이 됐어도 족제비에게 또 당하고 말았지. 그게 다 야생 오리 습관을 못 버려서 생긴 일이야. 헛간에서 알을 품도록 했다면 뽀얀 오리도 죽지 않고 지금까지 무리 속에 있겠지. 하기는 뭐, 그랬다면 주인이 꺼내 가서 알을 품을 수도 없었겠지만!"

우두머리가 한숨을 쉬었다.

마지막 날 밤이 불현듯 떠올라서 잎싹은 진저리를 쳤다.

'나그네, 이제야 네 마음을 알겠어. 우리는 같은 소망을 가졌던 거야. 좀더 일찍 이 모든 사실을 알았더라면……'

곰곰이 생각해 보니까 청둥오리가 마음을 졸이며 지낸 것 같았다. 오리알이라는 것을 알면 품지 않을까 봐서.

'사실을 알았더라도 나는 거절하지 않았을 거야. 알을 품는 동안 내가 얼마나 행복했는지 아무도 모를걸.'

잎싹은 걸음을 늦추고 아기와 나란히 걸었다. 암컷 오리들이 마지못해 뒤로 처졌다.

'족제비, 끔찍한 사냥꾼! 무서워. 그리고 너무나 미워. 소중한 것들을 다 빼앗아 갔잖아. 족제비보다 강해서 복수할 수 있다면!'

허튼 생각이었다. 복수는커녕 허허벌판에서 살아갈 일을 생각하니 울음이 터지려고 했다. 하지만 부리를 꾹 다물고 참았다.

저수지에 다다랐다. 오리들은 앞을 다투어 물로 뛰어들었다. 그러나 우두머리와 아기는 잎싹 곁에 있었다.

"이것 봐. 얘는 자기가 오리라는 것도 모르고, 헤엄칠 수 있다는 것도 몰라. 발가락 사이에 물갈퀴가 있어도 병아리라고 생각할걸!"

우두머리가 날개를 펴서 아기를 물로 몰아넣으려고 했다. 그러나 소용 없었다. 아기가 물에 들어가지 않으려고 버티다가 비명을 질렀다.

"그 애를 놔 둬!"

잎싹은 깃털을 곤두세우고 화를 냈다. 아기가 얼른 잎싹의 날개 밑으로 숨어들었다. 우두머리는 또 한숨을 쉬었다.

"잘못된 일이야. 암탉이 깠어도 오리는 오리라고."

우두머리가 고개를 절레절레 흔들더니 무리가 있는 곳으로 헤엄쳐 갔다.

잎싹은 마음이 무거웠다. 그래도 아기와 지낼 보금자리를 찾아야 했다. 물가를 따라서 가다 보니 오리 떼의 소리가 점점 작게 들렸다.

'내가 뭘 할 수 있을지 모르겠어. 하지만 족제비에게 당하지 않도록 정신을 바짝 차릴 거야!'

갈대숲이 나타났다. 잎싹은 첫눈에 이 곳이 마음에 쏙 들었다. 말라 죽은 갈대가 바닥에 쓰러져 있고, 새로 자란 갈대와 부들이 빽빽해서 숨어 살기에 좋은 곳이었다. 수련과 부레옥잠이 꽃을 피운 경치도 만족스러웠지만 무엇보다 좋은 것은 먹이가 많은 점이었다.

수련 잎에 앉아서 목을 부풀리곤 하는 개구리, 갈대 줄기에 붙어 쉬는 잠자리, 풀무치, 수면까지 올라오곤 하는 작은 물고기와 물방개가 충분한 이 곳은 잎싹과 아기에게 훌륭한 살림터였다.

"아무에게도 들키지 말아야 할 텐데⋯⋯."

잎싹은 마른 갈대 잎을 물어다가 둥우리를 만들었다. 빽빽한 물풀 사이를 다니려면 새처럼 몸이 작아야 할 것 같았다.

아기가 수련 잎에 올라갔다.

"아가, 빠질라!"

"빠질라, 빠질라."

아기가 즐겁게 재재거리며 다른 잎으로 건너갔다. 잎싹은 불안했지만 이미 물로 들어간 것이나 다름없는 아기를 데려올 수가 없었다. 아기는 자꾸만 잎 사이를 건너뛰어서 물 안쪽까지

가고 말았다.

"아가, 이제 그만 나와."

"엄마, 나 여기까지 왔어요!"

아기가 좋아라고 작은 날개를 흔들었다. 그 바람에 연잎이 기울어졌고 아기가 물에 풍당 빠졌다.

"아가!"

잎싹은 깜짝 놀라 발을 동동 굴렀다. 아기도 놀라서 허우적거렸다. 잎싹은 앞뒤 가릴 정신도 없이 물로 뛰어들었다. 하지만 깃털이 흠뻑 젖어서 간신히 나올 수밖에 없었다.

"엄마, 나 좀 봐요!"

아기가 여전히 바둥거리며 잎싹을 숨가쁘게 불렀다. 그런데 가만히 보니까 아기는 물에 빠진 게 아니었다. 서툴기는 해도 분명히 헤엄을 치고 있었던 것이다.

잎싹은 물을 뚝뚝 흘리며 큰 소리로 웃었다. 배우지도 않은 것을 해내는 아기가 기특해서 가슴이 뭉클했다.

"그래, 넌 영락없는 오리구나!"

평화스러운 날들이 지나갔다.

갈대 사이로 잘 다니기 위해 잎싹은 몸집을 줄였다. 그리고 개개비 암컷이 신경 쓰지 않도록 조용히 지냈다. 개개비 한 쌍이 갈대 사이에 둥지를 틀고 알을 낳았기 때문이다.

초승달이 꽉 찬 보름달이 될 때까지는 갈대숲 속 둥우리를 기웃거리는 자가 없었다. 달빛에 풀잎 그림자가 지고, 밤 바람에 갈대가 서걱거리면 족제비가 다가오는 것 같아 섬뜩하기는 했어도 그럭저럭 잘 지냈다. 우두머리 오리가 아기와 잎싹을 찾아내기 전까지는.

아기는 날마다 헤엄을 쳤다. 하루가 다르게 자랐고 자맥질을 해서 고기도 잘 잡았다. 그래도 저녁이 되면 아기는 여전히 잎싹의 날개 밑에서 잠자기를 좋아했다.

어느 날, 아기는 꽤 멀리까지 나가서 헤엄을 치더니 우두머리 오리와 함께 돌아왔다. 아니, 조금 겁먹은 아기 표정을 봐서는 우두머리 오리가 멋대로 따라온 게 분명했다.

뒤따라온 오리들은 우두머리의 명령으로 갈대숲 둥우리까지는 오지 않았다. 그들은 수련밭에서 시끄럽게 떠들며 장난을 쳤는데 잎싹은 그것이 무척 못마땅했다. 개개비 암컷이 불안해서 '개개개' 울어 댔고, 수컷은 몇 번이나 주변을 살피려고 날아올랐다.

'철없는 오리들! 알을 품어 보지 못했으니 어미 심정을 알 턱이 없지.'

이러다가 족제비에게 숨은 곳을 들키게 될까 봐 초조했다. 잎싹의 마음도 모르는 우두머리가 너스레를 떨었다.

"어찌나 잘 자랐는지 몰라봤지 뭐야. 뽀얀 오리와 나그네의

115

좋은 점만 쏙 빼닮았더군. 모든 걸 스스로 터득하다니 놀라워! 장한 일이야!"

우두머리가 아기를 쓰다듬으려고 했다. 그러자 아기가 슬쩍 물러서더니 잎싹과 우두머리를 번갈아 보았다.

"암탉이 깠어도 오리는 오리야! 우리 족속은 헤엄치고 자맥 질하는 습성을 결코 잊지 않아. 특별히 배우지 않아도 당연히 안단 말씀이야. 들판은 겁내면서 마당에서만 큰소리치는 닭한 테는 어림없는 일이지!"

우두머리는 오리가 닭보다 낫다고 뻐겼다. 잎싹은 마치 아버 지라도 되는 양 으스대는 우두머리가 가소로웠다.

'추켜세운다고 아기가 따라갈 줄 알아? 그렇게 생각했다면 큰 오산이야.'

잎싹은 아기가 떠나는 일 따위는 절대로 없을 거라고 믿었다. 그래서 당당하게 가슴을 내밀었다.

"닭이 들판을 겁낸다고?"

"물론! 아, 너는 예외지. 하지만 다른 닭들은 뭘 기억할까? 자기 조상들이 새처럼 들판이며 하늘을 맘껏 휘젓고 다녔다는 것도 모를걸?"

"닭이 새처럼?"

잎싹은 그 말을 믿을 수 없었다. 겨우 먼지만 일으키는 날개 로 날다니. 수탉이 돌담에서 날개를 쫙 펴고 뛰어내리는 것을

116

종종 보기는 했지만 그걸 어떻게 난다고 할 수 있을까. 난다는 것은 적어도 나무보다 높이 떠서 꽤 오랫동안 버티며 다른 곳으로 가는 것일 텐데. 닭도 새처럼 날 수 있다면 그보다 멋진 일은 없을 것이다.

"그런데 어쩌다가 날지 못하게 됐을까?"

잎싹은 날개를 쫙 펴 보았다. 갈대 높이만큼도 날아오를 것 같지 않은 날개였다.

"그저 온종일 먹고 알이나 낳으니 그렇지. 날개는 초라해지고 엉덩이만 커질 수밖에. 그런데도 해의 목소리를 가졌다고 잘난 체한다니까."

오늘따라 우두머리가 측은해 보였다. 수탉 앞에서는 기를 못 펴고, 안 보는 데서 흉이나 보다니.

"닭의 엉덩이가 커졌는데 왜 오리가 뒤뚱거릴까? 집오리도 날개가 있는데 뭐에 쓰는 거지?"

잎싹의 점잖은 대꾸에 우두머리는 입을 다물었다. 그리고 이야기가 빗나갔다는 것을 깨달았는지 헛기침을 하였다.

"사실 내가 찾아온 건 아기 때문이야. 이렇게 사는 건 위험해. 그러니 헛간으로 가자. 네가 싫다면 아기라도 보내 줘."

"우리는 여기서 아무 일 없었어. 그런데 이젠 걱정이 돼. 저렇게 떠들어 대니 곧 소문이 날 거야. 가족을 데리고 어서 떠나 줘. 우리는 안 돌아가."

"마당의 병아리들이 당했어, 한꺼번에 둘이나! 호기심이 많아서 텃밭으로 야산으로 쏘다녔거든. 암탉은 풀이 죽어서 헛간에서 나오지도 않아."

잎싹은 자기도 모르게 목 깃털을 떨었다. 족제비는 어째서 산 것만 잡아먹는지 생각할수록 기가 막혔다.

"아가, 이리 온."

잎싹은 아기를 날개 밑에 보듬어 안으려고 했다. 족제비가 아무리 무서워도 아기만은 건드리지 못한다고 안심시키고 싶었다. 그러나 아기는 잠자코 잎싹과 우두머리를 쳐다볼 뿐이었다. 잎싹은 조금 섭섭했다.

"암탉 혼자서 그렇게 많은 병아리를 보살핀다는 게 무리였어. 하지만 우리는 달라. 가족이 많으니까 아기 하나쯤 돌보는 건 쉬운 일이잖아. 그러니까 고생하지 말고 우리한테 맡겨. 연한 고기 맛을 보았으니 족제비란 놈은 결국 병아리들을 다 채갈 거야. 그 다음 차례는 보나마나야."

"……."

발톱에 저절로 힘이 주어졌다. 무서운 사냥꾼의 그림자가 다가오고 있는 것이 느껴졌다.

'머지않아 놈이 여기에 온다고!'

벌써 어디쯤에서 이쪽을 보고 있는지도 모른다. 잎싹은 눈을 부라리고 우두머리를 쏘아보았다. 잎싹의 갑작스러운 태도에

119

우두머리는 더 이상 말하지 못했다.

"우리를 그냥 두고 빨리 떠나."

"고집불통 같으니라고! 그래도 저 애를 언제까지나 병아리로 여길 수는 없을 거야. 암탉이 깠어도 오리는 오리니까!"

우두머리가 화를 내며 떠났다. 아기를 데려가지 못하게 된 것을 알고 다른 오리들도 한바탕 시끄럽게 굴었다. 꽥꽥거리는 소리가 멀어질 때까지 개개비 부부가 불안하게 지저귀었다.

아기가 둥우리에 엎드린 채 오리 떼가 사라진 곳을 보고 있었다. 너무 시끄러웠던 탓일까. 아기 얼굴이 왠지 전 같지 않았다.

"아가, 여길 떠나야겠다. 이젠 안전하지 않아."

"왜?"

"오리들이 알았으면 족제비도 곧 알게 돼. 족제비는 우리를 단번에 해칠 수 있는 무서운 적이야. 놈은 살아 있는 것만 사냥하고, 포기하는 일도 없어. 그러니 밤이 되기 전에 다른 보금자리를 찾자."

잎싹은 주변에 떨어져 있는 깃털을 물어다 물에 버리고, 둥우리를 헤쳐서 흔적을 없앴다. 그리고 개개비 부부가 신경 쓰지 않도록 조용히 갈대숲을 나왔다.

물을 떠나는 게 싫은지 아기는 자꾸 뒤를 돌아보았다. 아기를 위해서라도 멀리 갈 수는 없을 것 같았다.

날이 어두워지고 있었다.

잎싹은 갈대밭이 내려다보이는 약간 비탈진 풀밭으로 갔다. 버드나무에 매였던 소를 사람이 와서 데려갔다. 소가 줄을 당기며 먼 곳의 풀만 뜯어 먹어서 버드나무 아래의 풀은 그대로 남아 있었다. 잎싹은 소똥이 드문드문 떨어져 있는 버드나무 아래를 살폈다.

사방이 트인 벌판에서 밤을 보낸다는 것은 위험하기 짝이 없는 노릇이었다. 하지만 잎싹은 용기를 냈다.

"하루 정도는 견딜 수 있겠어. 소똥이 우리 냄새를 감춰 줄 거야."

잎싹은 부지런히 구덩이를 팠고 아기를 날개로 보듬어 안은 채 밤을 맞았다. 무성하게 자란 풀이 가려 주었지만 잎싹은 잠들지 못했다.

달빛이 밝았다. 숨죽이고 있던 아기가 색색 잠이 들자, 들리는 것이라고는 풀잎을 스치는 바람 소리뿐이었다. 잎싹은 정신을 바짝 차리고 어둠 속을 지켜보았다.

'전에 나그네가 꼭 이랬지. 나는 아기처럼 걱정 없이 자고, 나그네는 깨어서 족제비가 다가오지 못하게 했어. 날개를 퍼덕이고 소리를 질러 댔지.'

문득 떠오르는 게 있었다. 너무나 선명해서 마치 머릿속에 차가운 물방울이 똑 떨어진 기분이었다.

'맞아! 나그네처럼 겁내지 말아야 해. 스스로 목숨을 내놓기

전에는 족제비도 나그네를 어떻게 하지 못했잖아. 죽음의 구덩이에서도 그랬어. 내가 너무 팔팔하니까 달려들지 못했다고. 그래, 맞서는 용기만 있으면 우리를 절대로 못 건드려!'

그렇게 생각하니까 한결 기운이 났다.

잎싹은 구덩이에서 나와 갈대밭을 내려다보았다. 떠나기에는 아까운 보금자리였다. 그러나 헛간처럼 그 곳도 영원히 머물 곳은 아니었다.

'나는 떠돌이야. 떠돌이한테 보금자리가 있을 리 없지.'

씁쓸했다. 철망에 갇혀 사는 것도 싫었고, 그렇게 바라던 마당에 머물 수도 없었다. 갈대밭의 보금자리도 버려야 했다. 오늘 밤이 지나면 또 떠나야 한다.

'왜 이렇게 사는지 모르겠어. 소망을 간직했기 때문일까. 그래도 마당을 나온 건 잘 한 일이야. 철망은 말할 것도 없고.'

청둥오리가 생각났다. 청둥오리는 늘 마음 속에 있었지만 실제로 곁에 있으면 좋겠다 싶을 때가 많았다. 목소리를 들을 수 있고, 얼굴을 볼 수 있다면……

그 때였다.

'저건!'

잎싹은 자기도 모르게 납작 엎드렸다. 검은 그림자가 갈대밭으로 다가가는 게 보였다. 몸놀림이 재빠른 게 족제비가 틀림없었다.

'그럴 줄 알았어!'

잎싹은 얼어붙은 듯 꼼짝할 수가 없었다. 청둥오리가 보고 싶던 마음도, 외롭다는 생각도 싹 사라지고 몸이 와들와들 떨리기 시작했다.

족제비가 갈대밭으로 들어갔다. 갈대들이 잠시 출렁거리는 듯했을 뿐 아무것도 보이지 않았다. 족제비가 허탕칠 일을 생각하니까 웃음이 절로 나왔다. 싸움에서 이긴 것 같았다.

'흥, 난 이제 무서워서 벌벌 떨고 있지만은 않을 거야. 어디, 우리를 잡아 보시지!'

족제비가 갈대밭에서 나오더니, 왔던 길을 되돌아 뛰어갔다.

이튿날, 잎싹은 갈대밭으로 가 보았다. 아기는 곧장 물로 뛰어들었고 잎싹은 둥우리가 있던 곳으로 갔다. 그런데 일은 엉뚱하게 벌어져 있었다.

개개비가 당하고 말았다. 둥우리가 찢어지고 깨진 알이 널려 있는 광경을 보자 잎싹은 슬프고 화가 났다. 곧 깰 알들은 깨져 버렸고, 암컷 개개비는 없었다. 수컷 개개비가 구슬피 울면서 갈대밭을 맴돌고 있었다.

잎싹은 진저리를 치며 그 곳을 떠났다. 그리고 다짐했다. 어디에도 보금자리 따위는 만들지 않겠다고. 사냥꾼 족제비가 닥치기 전에 그림자를 알아채면서 살아가겠다고.

엄마, 나는 꽥꽥거릴 수밖에 없어

꽤 오랫동안 엄청나게 많은 비가 왔다. 장마였다. 저수지 물이 불어서 갈대밭이 거의 다 잠길 정도였다.

잎싹에게는 괴로운 날들이었다. 비를 피할 수 있는 보금자리도 찾기 어려웠고, 깃털이 마를 날이 없다 보니 항상 감기에 걸린 상태였다. 날마다 잠자리를 바꾸고 밤에도 푹 잘 수가 없으니 몸은 볼품없이 말랐다.

그런 중에도 아기는 잘 자라서 제법 오리 티가 났다. 게다가 점점 청둥오리를 닮아 갔다. 잎싹은 그것이 너무나 기쁘고 신기했다.

다 자란 오리에게 '아가'는 어울리지 않아서 '초록머리'라는 이름을 지어 주었다. 그래도 잎싹은 '아가'라고 부르기를 좋아했

다. 그렇게 부르면 더욱 사랑스럽고 가까운 느낌이 들었다.

　가슴을 답답하게 하던 감기는 장마가 끝나고서야 겨우 나았다. 그래도 말라 버린 몸은 다시 풍만해지지 않을 것 같았다.

　'이제 늙어 가는 거야. 당연하지, 아기가 벌써 저렇게 자랐는데……'

　비록 몸은 말랐어도 잎싹은 전보다 더 강해졌다. 어둠 속의 움직임을 판단하게 된 침착한 눈, 단단한 부리, 날카로운 발톱.

　잎싹과 초록머리는 한번 정한 보금자리에서 연거푸 두 번 자는 일이 없었다. 그래서 때때로 족제비가 허탕치고 돌아가는 꼴을 먼발치에서 볼 수도 있었다.

떠돌이 생활은 고단했지만, 그래도 견딜 만했다. 오히려 잎싹이 견디기 힘든 것은 초록머리가 우울한 얼굴로 생각에 빠져 있는 것을 보는 일이었다. 우두머리가 다녀간 뒤부터 종종 그러더니 깃털 색깔이 바뀌자 더욱 심각해졌다. 왜 그러는지 물어도 마음을 털어놓지 않으니 답답하기만 했다.

더 이상 비는 오지 않을 것이다. 초저녁 별이 맑게 빛났고 밤이 되어도 깃털이 축축해지지 않았다. 날씨를 봐서는 갈대숲에서 잠자리를 찾아도 되었지만 잎싹은 초록머리를 데리고 비탈을 올라갔다. 그리고 야산 가장자리에 있는 바위 밑을 살펴보았다. 장마철에 며칠 간격으로 잔 적이 있는 보금자리였다. 저수

지에서 떨어져 있고 비탈의 맨 위쪽이라 초록머리는 좋아하지
않았다.

"사냥꾼을 이틀이나 못 봤잖아. 오늘은 나타날 거야. 보나마
나 갈대밭을 기웃거리겠지, 개개비라도 먹으려면."

잎싹의 말을 들은 둥 만 둥 초록머리는 개망초가 하얗게 피어
있는 곳으로 가서 저수지를 내려다보기만 했다. 이번에도 무슨
생각에 빠져서 잎싹의 속을 태울 모양이었다.

잎싹은 바위굴에 엎드려서 초록머리의 뒷모습을 바라보았다.
이제 아기가 아닌 그 모습을 보고 있자니 몹시 서글펐다. 마음
속의 청둥오리에게 물어도 별 뾰족한 대답이 없었다.

'저럴 때는 꼭 나그네 같구나.'

초록머리가 청둥오리를 빼닮은 게 불안했다. 청둥오리가 그
랬듯이 족제비에게 갑자기 당할 것만 같아서였다. 저렇게 넋을
놓고 있을 때가 가장 위험한 순간이다.

잎싹은 초록머리를 그만 불러들이고 싶었다. 그래서 굴을 나
서는데 바위에서 검은 그림자가 휙 내려서는 게 아닌가. 마치
바람 소리 같았지만 그게 아니었다.

"헉!"

숨이 딱 멎는 듯했다. 족제비였다.

'안 돼!'

어쩌다가 이런 실수를 했을까. 잠자리를 잘못 잡았다. 여태까

지 족제비를 용케 피해 왔는데 족제비의 생각이 잎싹을 앞지르고 말았다.

족제비가 다가가는 줄도 모르고 초록머리는 넋을 놓고 있었다. 잎싹은 간신히 정신을 차렸다.

'정신 차려, 나는 어미야!'

이대로 당할 수는 없었다. 잎싹은 숨을 들이마시고 벼락같이 달려나갔다.

"꼭꼬댁 꼭꼭꼭! 저리 꺼져라!"

날개를 퍼덕이며 아우성치자 족제비가 홱 돌아보았다. 순간 초록머리도 놀라서 날개를 퍼덕이며 비명을 질렀다. 족제비는 당황했는지 잎싹과 초록머리를 번갈아 보았다. 전보다 훨씬 크고 날렵해 보였지만 잎싹은 물러설 수가 없었다.

겁먹은 초록머리는 계속 날갯짓을 해 댔다. 잎싹은 발톱에 힘을 주고 털을 몽땅 곤두세웠다. 족제비와 눈이 마주쳤다.

"꼭꼬댁 꼭꼭꼭, 가만 두지 않겠어!"

잎싹은 죽을 각오로 말했다. 족제비가 천천히 고개를 저었다. 여전히 잎싹에게서 눈을 떼지 않은 채로.

"방해하지 마!"

소름끼치는 말소리였다. 족제비는 오로지 초록머리를 탐내고 있었다. 그래서 잎싹을 그다지 경계하지 않았다. 잎싹은 눈을 부릅떴다.

"그 애를 놔 둬!"

그러자 족제비가 가소롭다는 듯 웃었다. 잎싹은 온몸이 뜨거워지는 것을 느꼈다. 심장이 마구 뛰어서 터져 버릴 것 같았고, 분노가 치솟아 족제비의 눈초리 따위는 두렵지 않았다.

족제비가 눈길을 돌리려는 순간, 잎싹은 쏜살같이 달려들었다. 마치 불길 속으로 달려드는 나방처럼. 그리고 앙칼지게 쪼았다.

"캬악!"

족제비가 비명을 지르며 초록머리 쪽으로 튀었다. 부리를 단단히 쥔 잎싹은 무작정 끌려갔다. 초록머리의 아우성이 들렸다. 잎싹과 족제비는 한덩어리가 되어 비탈을 구르기 시작했다. 발버둥치는 족제비의 발톱이 잎싹의 배를 할퀴었다. 비탈에 솟은 돌에 걸려서야 족제비는 떨어져 나갔고 잎싹은 그대로 정신을 잃었다.

"아가, 도망쳐."

잎싹은 자기도 모르게 중얼거렸다. 그리고 눈을 떴다. 아무것도 보이지 않았고 움직일 수도 없었다. 입 속에 무엇인가 들어 있어서 뱉었더니 살점이었다. 족제비를 쪼아서 뜯은 것이었다.

"아가! 아가!"

잎싹은 주위를 둘러보며 초록머리를 찾았다. 너무나 조용했다. 족제비에게 당하고 벌써 숨이 끊어졌는가. 눈물이 왈칵 솟

앗다. 상처의 쓰라림보다 초록머리가 없는 것이 더 견딜 수 없었다.

"지긋지긋한 놈! 차라리 나를 잡아먹지. 그 애는 아직 어린애인데……."

잎싹은 내동댕이쳐진 채로 눈을 감았다. 죽음의 구덩이에 버려졌을 때처럼 몸에 힘이라고는 없었다.

그 때였다.

"엄마, 일어나!"

머리 위로 바람이 일더니 초록머리 소리가 났다. 잎싹은 눈을 깜작거렸다. 믿을 수가 없었다. 초록머리가 날갯짓하며 공중에 떠 있는 게 아닌가. 간신히 파닥거리는 것처럼 보였지만 분명히 날고 있었다.

"세상에! 네 날개가 어떻게 된 거니?"

"정말 굉장하지! 도망쳐야겠다는 생각뿐이었는데 몸이 떠오르잖아. 내가 날 수 있어!"

초록머리가 기쁨에 들떠서 외쳤다. 잎싹은 가슴이 벅차서 아무 말도 하지 못했다. 그래서 그냥 미소만 지었다.

'기적이야!'

이건 세 번째 기적이었다. 철망을 나와서 아카시아나무 아래에 살았던 것이 첫 번째 기적이고, 알을 품은 것이 두 번째 기적이었다. 그것만으로도 충분히 놀랍고 행복한데 또 하나의 기적

이 일어났다. 족제비가 사냥에 실패했고, 초록머리가 날기까지 했다.

"엄마, 어디 좀 봐. 많이 아파?"

초록머리가 날개를 펴서 다친 잎싹을 감싸안았다. 그것이 또 고마워서 잎싹은 목이 메었다. 눈물을 보이지 않으려고 부리를 꽉 다물었지만 오늘만큼은 소용 없었다.

여름이 끝나자 건조한 바람이 불기 시작했다. 하늘에서 강한 햇살이 내리쬐고 활짝 피었던 갈대꽃이 부스스해지고 있었다.

잎싹은 쓸쓸한 날이 많았다. 나는 재미에 푹 빠진 초록머리가 온종일 저수지에만 있어서, 잎싹은 갈대숲을 거닐거나 비탈에 올라가서 초록머리가 헤엄치고 나는 모습을 바라보곤 했다.

최근에는 족제비를 보기 어려웠다. 양계장 주변을 기웃거리며 병아리를 낚아채든지, 죽음의 구덩이에서 아직 숨이 끊어지지 않은 닭이나 사냥하며 살고 있을 것이다. 진작 그랬어야 했다. 초록머리를 탐내는 건 어리석은 짓이었다. 하늘을 마당처럼 휘젓고 다니는 야생 오리를 감히 넘보다니!

난다는 것은 멋진 일이었다. 족제비를 겁내지 않아도 된다는 것말고도 좋은 점이 얼마든지 많았다. 넓은 저수지의 끝에서 끝까지를 금방 다녀올 수 있고, 갈대숲을 위에서 둘러보고 좋은 잠자리를 가려 낼 수도 있었다.

　닭은 흙만 뒤지고 사는데 야생 오리는 달랐다. 땅과 물, 하늘
까지 제 세상이었다. 초록머리를 보고 있으면 쓸쓸하면서도 부
러웠다. 초록머리는 분명 자신의 자식이지만, 또한 야생 오리라
는 것도 틀림없는 사실이기 때문이었다.

　'닭은 날개를 포기해 버렸어. 어째서 볏을 가진 족속이라는
것만 기억했을까? 볏이 사냥꾼을 물리쳐 주는 것도 아닌데.'

　초록머리는 잎싹의 쓸쓸함에 대해 알지 못했다. 초록머리는
초록머리대로 쓸쓸했다. 꼬꼬거릴 수도 없는데 암탉을 따르고,

닭은 데가 많은 집오리들에게는 업신여김을 당하기 때문이었다. 그들은 이제 초록머리를 거들떠보지도 않았고, 가까이 다가가는 것조차 꺼렸다.

무리가 없는 외톨이끼리 몸을 맞대고 잠들 수 있는 밤은 그나마 행복했다. 초록머리가 잡아온 물고기로 배를 채우고 잠들 때마다 잎싹은 청둥오리를 생각했다. 초록머리의 기름진 깃털이 달빛에 빛날 때는 청둥오리가 더욱 생각났다.

"아가, 잠이 들더라도 항상 귀를 열어 둬야 한다. 사냥꾼은 밤을 타고 오거든. 녀석은 언젠가는 꼭 와. 포기하는 법이 없으니까."

"내 걱정은 조금도 하지 마세요. 나는 엄마가 걱정이야. 날 수도 없고, 헤엄칠 수도 없잖아."

"그래도 아직은 까딱없어. 녀석은 나한테 흥미도 없을걸. 아마 질겨서 입맛도 안 다실 거다. 후후."

잎싹은 웃었다. 초록머리가 걱정해 주는 게 뿌듯해서였다. 초록머리가 잠자코 있다가 어렵게 입을 뗐다.

"엄마, 나, 오랫동안 생각해 봤어요."

초록머리가 다시 한참 동안 입을 다물었다. 잎싹은 불안했다.

"우리, 마당으로 가는 게 어때요? 외톨이로 사는 게 싫어."

잎싹은 마음이 무거웠다. 초록머리가 그런 말을 하는 것은 처음이었다. 아마 꽤 오랫동안 괴로웠던 모양이다.

"마당으로 가자고?"

"어차피 나는 오리인걸. 꽥꽥거릴 수밖에 없어."

"그게 뭐 어떠니. 서로 다르게 생겼어도 사랑할 수 있어. 내가 너를 얼마나 사랑하는데."

잎싹은 오래 전에 청둥오리가 했던 말을 들려 주었다. 잎싹은 그 말을 이해했기 때문에 초록머리도 알아듣기를 바랐다. 그러나 초록머리는 고개를 저을 뿐이었다.

"아니. 엄마, 나는 모르겠어. 이러다가 집오리들이 끝내 받아

주지 않을까 봐 겁나. 나도 무리에 끼고 싶어."

초록머리가 홀쩍홀쩍 울었다. 잎싹은 어쩔 줄 몰라서 가만가만 등을 쓸어 주기만 했다.

"아가, 우리는 여태 잘 지냈잖아. 너는 영특해서 헤엄치고 나는 것도 혼자 터득했는데……."

그렇게 말은 했지만 그것이 위로가 되지 않는다는 것을 잎싹도 알고 있었다. 어쩌면 그 때 양계장 부부의 말을 듣고도 못 들은 척한 것이 나았을지 모른다. 초록머리가 날개 끝을 잘릴망정 집오리로 살 수는 있었을 테니까. 우두머리가 설득했을 때 못 이기는 척 아기를 보냈더라면 좋았을걸.

"엄마가 나를 사랑하는 건 알아. 그래도 우리는 서로 다르잖아."

"다르게 생겼지. 그래도 나는 네가 있어서 기뻐. 누가 뭐라고 해도 너는 내 아기니까."

잎싹의 안타까운 마음에도 불구하고 초록머리는 떨어져 앉았다. 그리고 결심한 듯이 말했다.

"엄마는 마당으로 가요. 나는 무리에 낄 테야!"

"양계장으로……."

잎싹은 가슴이 무너지는 것 같았다. 그렇다고 초록머리를 나무라고 싶은 마음은 없었다. 초록머리가 다른 족속이라는 사실을 깨달은 것은 벌써 오래 전, 수련 잎을 겁 없이 건너다니다가 빠져서 헤엄칠 때부터였으니까. 그래서 불안하고 가슴 한쪽이 늘 쓸쓸했으니까.

"아가, 나는 닭장에서 알만 낳아야 하는 암탉이었단다. 단 한 번도 내 알을 품어 보지 못했어. 알을 품어서 병아리의 탄생을 보는 게 소원이었는데도 말이야. 알을 낳지 못하게 되자 닭장에서 끄집어내졌지. 그 때 이미 죽을 목숨이었어. 하지만 너를 만났고, 나는 비로소 엄마가 되었단다."

잎싹은 초록머리를 보며 조용히 말했다.

초록머리는 자는지 날갯죽지에 머리를 묻고 움직이지 않았다. 물결 위에 달빛만 은은히 비치고 있었다.

"얘야, 우리는 마당에 돌아갈 이유가 없단다. 나는 마당에서 필요 없는 암탉이고, 너는 마당 식구들보다 훨씬 뛰어나기 때문이야."

잎싹은 초록머리 곁으로 가서 다시 등을 쓰다듬었다. 초록머리는 잎싹의 말을 다 듣고도 자는 척 눈을 뜨지 않았다. 날개를 다 편다고 해도 감싸안을 수 없게 커 버린 초록머리. 아기가 너무 일찍 자라 버린 것 같았다.

'사냥꾼조차 오지 않으니 내가 뭘 하겠어. 온다고 해도 문제없이 달아날 만큼 다 자랐는걸.'

잎싹은 너무나 쓸쓸해서 밤새도록 뒤척이기만 했다. 도저히 잠이 오지 않았다. 하지만 새벽에 초록머리가 저수지로 떠날 때

에는 고개도 들지 않았다. 오리 떼에게 갈 거라는 말을 또 듣게 될까 봐 불안해서였다.

잎싹은 비탈에 서서 초록머리가 집오리 떼 곁에서 맴도는 모습을 지켜보았다. 그들은 초록머리에게 냉정했다. 소리를 질러 대고, 우두머리가 공격하기도 했다. 부리에 쪼이면서도 초록머리는 무리를 기웃거렸다.

해가 질 무렵, 우두머리는 가족을 이끌고 마당으로 돌아갔다. 초록머리가 무리에서 조금 떨어진 채 뒤뚱거리며 그들을 따라갔다. 마치 외톨이 청둥오리의 모습을 다시 보는 듯했다.

"꼭꼬댁 꼭꼭꼭. 아가, 돌아와!"

잎싹은 초록머리를 말리고 싶었다. 그래서 목청을 돋워 불렀다. 그러나 아무도 돌아보지 않았다.

"마당에 간다고 해도 외로울 거야. 너는 특별하거든. 마당 식구들이 너를 받아 줄 리 없어."

잎싹은 멀찍이 떨어져서 초록머리를 따라갔다.

저수지의 나그네들

잎싹은 마당이 보이는 야산에 자리를 잡았다.

마당은 그대로였다. 양계장 안에서 희미하게 새어나오는 불빛, 암탉들의 시끄러운 소리, 외바퀴 수레, 헛간과 마당 식구들. 달라진 게 있다면 수탉보다 조금 작은 또 한 마리의 수탉이 있다는 사실이었다. 족제비가 잡아가지 못한 어린 수탉이었다.

헛간에서 무슨 일이 벌어지고 있는지 볼 수 없지만 짐작할 수는 있었다. 초록머리를 두고 지금쯤 무척 소란스러울 게 틀림없었다. 우두머리조차 달가워하지 않으니 초록머리는 곧 쫓겨날지도 모른다.

"가엾은 아가!"

그렇게 된다면 차라리 좋겠다. 잎싹은 초록머리를 저수지로 다시 데려가고 싶었다. 비록 외톨이로 살지만 모욕을 당하지 않을 테고, 무엇보다도 맘껏 날 수 있을 테니까.

밤이 지나갔다.

초록머리는 쫓겨나지 않았다. 오리 떼가 함지박에 머리를 박고 모이를 먹을 때 초록머리는 작은 바가지에 담긴 것을 먹었다. 주인 여자가 모이를 따로 주었던 것이다.

주인 여자도 초록머리를 탐내는 게 분명했다. 누구라도 깃털이 반들거리고 몸매가 아름다운 초록머리를 좋아할 게 뻔했다. 주인 여자가 초록머리를 좋아한다면 우두머리도 수탉도 어쩔 수 없이 헛간의 한 귀퉁이를 내주어야 한다.

오리 가족이 나들이 나갈 때였다. 우두머리가 앞에 서고 어린 오리가 뒤에 섰다. 초록머리는 어린 오리의 뒤를 따르려고 했다. 그런데 주인 여자가 초록머리를 확 붙잡는 게 아닌가.

"꽥꽥!"

초록머리가 기겁을 하고 퍼덕거렸다. 잎싹도 놀라서 벌떡 일어났다.

"꽥꽥!"

잎싹은 안절부절못했다. 오리 가족은 상관하지 않고 저수지로 떠났다.

초록머리는 양계장 기둥에 묶이고 말았다. 달아나려고 용을 썼지만 허사였다. 초록머리가 울음을 터뜨렸고 잎싹도 울었다.

문지기 개가 온종일 초록머리 곁에서 맴돌았다. 날개를 퍼덕이면서 아무리 당겨도 초록머리는 묶인 끈에서 놓여날 수가 없었다.

"그 말을 해 줬어야 하는 건데. 날개를 자르려고 해서 떠났다는 말을 진작 할걸. 그랬으면 마당에 가지 않았을 텐데. 어쩌면 좋아!"

잎싹은 안타까워서 몸이 달았다. 초록머리가 굶으며 발버둥치는 동안 수탉 가족은 텃밭으로 산책을 나갔고, 개는 낮잠을 잤다. 저녁이 되자 오리 가족이 돌아와 헛간에 들었다. 그렇게 하루가 갔다.

잎싹은 뾰족한 수가 없나 하고 마당 주변을 서성거렸다. 초록머리 곁으로 가서 등이라도 쓸어 주고 싶었다.

"크르릉! 아직도 살아 있다니 정말 질긴 목숨이군."

개가 잎싹을 보고 이빨을 드러냈다. 잎싹은 콧잔등이라도 쫄 태세로 눈을 부릅떴다.

"내가 우연히 살아남은 줄 알아? 나도 겪을 만큼 겪었어. 건드리지 않는 게 좋을 거야!"

"흥! 기세 당당하군. 하기는, 오리 새끼를 저만큼 키웠으니. 그래도 마당에 들어올 생각하지 마! 나는 빈틈없는 문지기라 나도 모르게 무는 습관이 있다고."

개가 어슬렁어슬렁 제 집으로 갔다.

144

잎싹은 아카시아나무 아래에서 초록머리를 불렀다.

"아가, 엄마 여기 있어. 울지 말고 생각을 모아 보자."

"엄마, 날 두고 가지 마. 발이 아파!"

잎싹은 안타까운 마음으로 마당 근처를 오락가락했다. 그러나 주인 부부가 아니면 묶인 것을 풀 수가 없었다.

'나그네는 묶지 않았으면서 초록머리는 왜 묶었을까?'

잎싹은 좋은 수가 없을까 궁리하며 마당 근처를 오락가락하다가 자기도 모르게 죽음의 구덩이까지 갔다.

문득 기분 나쁜 느낌이 들었다. 아니나다를까, 어둠 속에서 잎싹을 노려보는 눈빛이 있었다. 잎싹은 그것이 족제비라는 걸 직감했다. 그런데 한쪽 눈을 감고 있는지 번득이는 눈빛이 하나뿐이었다.

잎싹은 목 깃털을 바짝 곤두세웠다. 저절로 발톱에 힘이 들어가고 피가 뜨거워져 당장이라도 달려들 준비를 했다.

족제비는 숨이 끊어지지 않은 닭을 물고 있었다. 어둠 속에서도 닭의 날개가 간간이 움직이는 게 보였다. 족제비가 천천히 다가왔다. 잎싹은 달아나지 않았다. 먹이를 물고 있는 동안에는 사냥하지 않을 테니까.

족제비가 먹이를 내려놓았다. 그러나 공격할 자세는 아니었다. 잎싹은 가슴을 내밀고 눈을 부라렸다.

"먹음직스러운 오리야. 흐흐흐, 머지않아 내가 해치울 테다!"

족제비가 기분 나쁘게 웃었다.

"헛소리! 너한테 당할 애가 아냐!"

"과연 그럴까? 기둥에 묶인 걸 봤는데도? 머지않아 피둥피둥 살이 찌겠지, 날 수 없을 만큼. 그렇게 길들여지는 거라고. 흐흐흐."

잎싹은 그제야 주인 여자가 초록머리를 왜 묶었는지 알 수 있었다. 나그네야 날개를 다쳤으니 날아갈 염려가 없었던 것이다.

"그리고, 너! 나를 애꾸로 만들었겠다! 눈 파먹은 대가를 톡톡히 치르게 해 주지. 너희 둘에게 똑같이, 머지않아."

잎싹은 깜짝 놀랐다. 그 때 입 안에 들어 있던 살점이 바로 족제비 눈이었다니!

"너한테 당하느니 저수지에 빠져 죽겠어."

"그러면 안 되지. 난 죽은 건 잡기 싫어. 지금처럼 살아서 내가 네 오리 새끼를 어떻게 하는지 잘 지켜보라고!"

족제비가 또 웃었다. 그리고 암탉을 물고 어둠 속으로 사라졌다. 잎싹은 족제비가 사라진 쪽을 멍하니 바라보았다. 소름이 오싹 끼치고 몸이 저절로 떨려 왔다. 족제비가 저주를 퍼붓고 간 셈이었다.

"머지않아……."

잎싹은 정신을 차리고 죽음의 구덩이를 떠났다. 족제비의 말이 머리에서 떠나지 않았다.

"녀석이 마당으로 갈까? 문지기가 있어도? 사냥꾼을 보면 문지기가 난리 칠 텐데. 마당 식구들도 소리소리 지르겠지. 녀석은 곧장 아기를 덮칠 거야. 하지만 묶였으니 물어갈 수는 없겠지."

잎싹은 궁리를 하고 또 했다. 주인 여자가 끈을 풀기만 하면 초록머리가 도망칠 수 있는 기회가 생긴다.

"녀석은 기다릴 거야. 초록머리가 날 수 없을 만큼 살이 찌기를."

이튿날 밤, 족제비는 어슬렁거리며 나타나 죽음의 구덩이로 갔다. 하지만 사냥감이 없는지 그냥 돌아왔다. 족제비가 마당으로 살금살금 다가왔다. 마침 어린 수탉이 두엄을 뒤지고 있었다.

잎싹은 야산에서 족제비의 행동을 지켜보았고, 족제비도 그 사실을 알고 있었다. 족제비가 잎싹이 있는 쪽을 슬쩍 돌아보았다. '내가 어떻게 하는지 잘 봐라.' 하는 몸짓이었다. 잎싹은 몸이 얼어붙는 것 같았다.

'수탉 사냥이다!'

잎싹은 어린 수탉이 빨리 도망치도록 소리치고 싶었지만 웬일인지 목소리가 나오지 않았다. 개는 아무것도 모르고 있었다. 이제는 너무 늙어서 코도 귀도 어두워진 모양이었다.

'녀석이 나를 겁주고 있어!'

그 때 갑자기 초록머리가 소리를 질렀다. 귀가 밝아서 문지기 개보다 먼저 위험을 느낀 것이다. 그러자 모든 일이 순식간에 벌어졌다. 개가 짖는 것과 동시에 족제비가 활처럼 튀었고 어린 수탉의 외마디 소리가 났다.

개가 무섭게 짖으며 검은 그림자를 쫓아갔고, 헛간에서 마당 식구들이 뛰어나왔다. 주인 부부는 맨 나중에야 나타났다.

어린 수탉은 보이지 않았다. 수탉 부부는 자식을 찾느라 정신없이 꼬꼬거렸다. 놀란 오리들과 초록머리마저 한꺼번에 꽥꽥거려서 마당은 한바탕 난리가 났다.

"에잇, 족제비가 극성이군!"

주인 남자가 혀를 찼다. 주인 여자가 오리 떼를 헛간에 몰아넣느라 애를 먹으며 대꾸했다.

"불독이 필요해요. 저 개는 이제 늙었다고요. 이러다가는 토종닭 씨가 마르겠어요."

"오리를 묶어 놓으니 족제비가 왔지. 마당에 먹이를 놓고 불러들인 격이지 뭐야. 당장 헛간에다 붙들어매요!"

주인 남자가 버럭 소리를 지르고는 안으로 들어갔다. 주인 여자가 늙은 개를 탓하며 초록머리에게 다가갔다. 잎싹은 초조하게 왔다갔다하면서 주인 여자가 기둥에서 끈을 푸는 것을 보았다.

"꽥꽥!"

초록머리가 한쪽 발을 묶인 채로 버둥거리며 끌려갔다. 헛간에 묶이면 초록머리를 다시 보기는 어려울 것이다. 잎싹은 그렇게 살 수 없었다.

"꼬꼬댁 꼭꼭꼭, 그 애를 놔 줘!"

잎싹은 미친 듯이 달려갔다. 날개를 퍼덕이며 달려드는 암탉을 보고 주인 여자의 눈이 휘둥그레졌다. 잎싹은 싸움닭처럼 깃털을 곤두세우고 주인 여자를 쪼아 대기 시작했다.

"아야, 아야! 이놈의 닭이 사람 잡네!"

주인 여자가 고래고래 소리를 질렀다. 헛간에 들어갔던 오리들이 죄다 나와서 꽥꽥거렸다. 또 한바탕 소동이 벌어졌다. 주인 여자는 잎싹을 쫓아 내느라 초록머리를 붙잡고 있을 수가 없었다.

"아가! 날아가라!"

잎싹이 외치자 초록머리가 힘차게 날아올랐다. 그리고 끈을 매단 채로 야산 너머로 사라졌다. 도저히 그렇게 할 수 없는 집

오리들은 멍청히 서서 쳐다보기만 했다.

잎싹도 재빨리 마당을 빠져 나왔다. 주인 여자가 빗자루를 휘둘러서 하마터면 맞아 죽을 뻔했다.

저수지로 가는 길은 멀고 어두웠다. 그러나 겁날 게 없었다. 겁나기는커녕 통쾌해서 콧노래가 저절로 나왔다. 족제비의 뱃속은 가엾은 어린 수탉이 채웠고, 초록머리는 이제 마당 식구들에게 정나미가 떨어졌을 것이다.

"어리다는 건 경험이 부족하다는 것! 아가, 너도 이제 한 가지를 배웠구나. 같은 족속이라고 모두 사랑하는 건 아니란다. 중요한 건 서로를 이해하는 것! 그게 바로 사랑이야."

잎싹은 목청껏 노래를 부르며 신이 나서 경중경중 뛰어갔다.

잎싹의 몸은 전보다 더욱 말랐다. 배고픔을 달랠 만큼만 먹어서 개개비처럼 작아진 듯한 느낌이 들 정도였다. 잎싹이 그토록 마른 것은 초록머리를 찾아다니느라 신경을 쓴 탓이었다.

초록머리는 마당에서 도망친 뒤부터 혼자 잠자리를 정했다. 그리고 저녁이 되어도 잎싹에게 돌아오지 않았다. 초록머리는 여전히 저수지에 있었다. 그래서 먼발치에서 바라볼 수는 있었지만 초록머리의 잠자리를 찾아 내는 일은 쉽지가 않았다.

잠자리를 찾는다고 해도 잎싹이 할 수 있는 일이라고는 고작 안심하는 것뿐이었다. 전처럼 몸을 맞대고 잠들거나 다가가서 말을 걸지도 못했다. 오로지 잘 자는지 보는 것, 얼마나 더 자랐는지 보는 것뿐이었다. 가끔씩 그 노릇이 너무 슬프고 외로웠지만 어쩔 수 없었다.

'저 애는 지금 받아들이기 어려운 거야. 우리가 서로 다르게 생겼다는 사실을.'

잎싹은 초록머리의 발에 묶인 끈이라도 없애 주고 싶었다. 하늘을 날 때, 물가를 거닐 때 끈은 길게 늘어져서 초록머리를 따라다녔다. 마치 슬픔을 매달고 다니는 것처럼 우울한 모습이었다.

초록머리는 잎싹이 근처에 오는 것조차 싫어했다. 그래도 잎싹은 늘 초록머리가 보이는 곳에서 잠을 청하곤 했다. 그래야 마음이 놓였다.

족제비가 어슬렁거릴 때도 있었지만 걱정할 일은 벌어지지 않았다. 초록머리는 귀가 밝아서 언제나 족제비의 그림자를 미리 알아챘고, 잎싹도 마찬가지였다.

그렇게 가을이 가고 있었다.

잎싹은 갈대밭에 떨어져 있는 잠자리들을 심심찮게 보았다. 물풀에 매달려 알을 낳고 남아 있는 힘으로 마지막 비행을 마친 잠자리들이었다.

잠자리의 눈은 아직 살아 있지만 쪼아 먹으려는 잎싹을 두려워하지 않았다. 날개가 굳어 가는 동안 수많은 눈이 파란 하늘

을 보고 있었다. 홀쭉한 배에 눈만 커다란 잠자리를 먹는 게 별로 유쾌한 일이 아니라서 잎싹은 배가 몹시 고플 때만 잠자리를 먹었다.

해가 짧아져서 집오리들은 일찍 저수지를 떠났다. 그러면 사방에서 바람 소리와 풀잎이 마른 몸을 비벼 대는 소리만 들려왔다. 늦도록 헤엄을 치던 초록머리가 긴 끈을 끌고 갈대밭을 찾아들고 그 뒤를 천천히 잎싹이 따르면 추운 가을 밤이 깊어 갔다.

새벽부터 바람이 몹시 불었다. 무슨 일이 벌어질 것처럼 갈대밭이 요동을 쳤다. 잎싹은 깃털 속으로 스미는 바람 때문에 몸을 떨었다.

"아가, 괜찮니?"

잎싹은 조금 떨어진 곳에 있는 초록머리가 걱정이 되었다. 초록머리도 불안한 듯이 목을 빼고 주변을 살피고 있었다. 초록머리가 갑자기 목청을 돋웠다. 그리고 푸드덕 날아올랐다.

"엄마, 조심해!"

잎싹은 바짝 긴장했다. 초록머리가 근처에 족제비가 있다는 신호를 보냈다. 초록머리가 시끄러운 소리를 내며 갈대밭을 맴돌았다.

"모두 세 마리, 아니, 하나가 더 있어! 왜 저렇게 몰려들었지?"

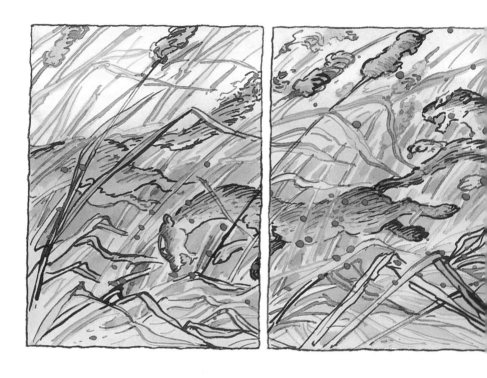

초록머리가 놀라서 외쳤다. 잎싹은 당황했다. 한 마리도 골치 아픈데 네 마리나 있다니!

잎싹은 주변을 경계하며 갈대밭을 나왔다. 무사히 빠져 나왔다고 안도의 숨을 쉬는데 애꾸눈 족제비가 난데없이 나타났다.

잎싹이 깃털을 떨자 족제비가 피식 웃었다. 잎싹은 하나뿐인 족제비 눈을 날카롭게 쏘아보았다.

"너는 아냐. 들판에 먹이가 하나도 없다면 몰라도."

족제비가 기분 나쁜 웃음을 흘리며 돌아섰다.

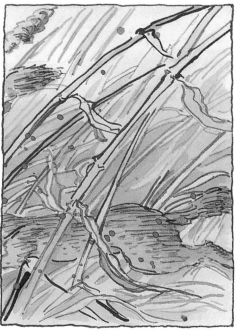

"저 애도 마찬가지야. 뛰어난 사냥꾼이 아니면 잡을 수 없어. 애꾸눈 사냥꾼은 구경하기도 벅차지. 넷이나 몰려왔지만, 보라고, 저 애는 하늘에 있어! 애꾸눈이라 아직 못 본 건 아니지?"

잎싹의 말에 기분이 상했는지 족제비가 몸을 활처럼 구부리며 이빨을 드러냈다. 그러나 공격하지는 않았다.

"사냥철이 됐어. 드디어 우리가 기다리는 게 온다!"

족제비가 쏜살같이 달려갔다. 잎싹은 영문을 모른 채 두리번거렸다.

날씨가 흐렸다. 바람이 지나갈 때마다 갈대들이 한꺼번에 쓰러졌다가 부스스 일어나곤 했다. 갈대들을 쓰러뜨리는 바람의 발자국이 크고 거칠었다. 심상치 않은 일이 벌어질 징조였다.

초록머리가 찾는 소리에 잎싹은 목청을 돋워 대답했다. 초록머리는 그 사이 저수지를 한 바퀴 돌고 잎싹 곁으로 왔다. 정말 오랜만에 초록머리와 잎싹은 나란히 서서 저수지를 바라보았다.

"엄마, 이상해. 이런 기분은 처음이야. 뭔가 다가오고 있어."

"사냥꾼들?"

"아냐, 그런 게 아냐."

"더 무서운 거니?"

"엄마, 이건 달라. 하늘을 온통 뒤덮고 있어. 느껴지지 않아?"

"얘야, 뭘 말이냐?"

잎싹은 답답하고 두려웠다. 초록머리가 눈을 가늘게 뜨고 무엇을 보고 있는지, 무슨 소리에 귀를 기울이는지 알 수가 없었다.

"아, 저 소리! 엄마, 굉장해. 엄청나게 많이 몰려오고 있어!"

"……?"

뭔지 몰라도 전혀 새로운 일이 닥쳐오고 있었다. 잠자코 있는 동안 잎싹도 초록머리가 말하는 그 소리를 느끼기 시작했다.

먼 산과 하늘의 틈바구니에서 이제껏 들어 본 적이 없는 소리가 울려나오기 시작했다. 그 소리는 서서히 점점 크게 퍼졌다. 그리고 드디어 까만 점들이 나타났다. 그것은 바로 새들이었다.

잠시 뒤에 수많은 새 떼가 하늘을 가렸다. 세상이 온통 새들로 가득 차더니 다른 소리는 들리지도 않았다.

새 떼는 저수지 위를 빙빙 돌다가 차례차례 물로 내려앉았다. 잎싹과 초록머리는 다른 세상에서 온 나그네들을 넋을 놓고 바라보았다.

"나그네! 네 가족이 왔구나!"

잎싹은 자기도 모르게 중얼거렸다. 본 적은 없지만 저들이 바로 청둥오리가 그리워하던 족속이라는 생각이 들었다. 청둥오리는 산등성이까지 힘겹게 올라가서 먼 곳을 보곤 했다. 저렇게 많은 가족과 헤어졌으니 혼자라는 게 얼마나 쓸쓸했을까.

"엄마, 왜 이렇게 가슴이 뛰지?"

초록머리가 아기처럼 잎싹의 날갯죽지에 얼굴을 묻었다. 몸을 떨고 있었다. 생각지도 못한 광경에 감격한 모양이었다.

"왜 안 그렇겠니. 저렇게 아름다운 무리를 본 적이 없으니."

잎싹은 이상하게 마음이 평온해지는 걸 느꼈다. 청둥오리가 생각나서 빙그레 웃음까지 나왔다.

'이 친구야, 난 이제야 다 알았어.'

청둥오리는 아기를 데리고 저수지로 가라고 했다. 그 말뜻을

이해했다고 생각했는데 아니었다. 이제야 알게 되었다. 청둥오리는 아기가 자라서 날기를 바랐고, 자기 족속을 따라가기를 바랐던 것이다.

잎싹은 날개를 벌려서 다 자란 초록머리의 몸을 꼭 안았다. 그렇게 오랫동안 부둥켜안고 있었다. 초록머리의 부드러운 깃털과 냄새를 느끼며 몸을 어루만졌다.

어쩌면 앞으로 이런 시간은 두 번 다시 오지 않을 것이다. 소중한 것들은 그리 오래 머물지 않는다. 그것을 알기 때문에 잎싹은 모든 것을 빠뜨리지 않고 기억해야만 했다. 간직할 것이라고는 기억밖에 없으니까.

사냥꾼을 사냥하다

나그네 말대로 애꾸눈 족제비는 다른 족제비들보다 훨씬 크고 재빨랐다. 그런데도 가끔씩 다른 족제비와 짝을 지어 사냥할 만큼 애꾸눈 족제비는 빈틈없고 약삭빠르게 행동했다.

족제비들은 호시탐탐 때를 노리며 저수지 주변을 맴돌았다. 그들의 사냥감은 말할 것도 없이 청둥오리였다. 무리에서 떨어져 나오거나 처음으로 여행을 온 어린 오리들이 당하곤 했다.

청둥오리들은 갈대밭에서 무리지어 잠을 잤고, 무리지어 헤엄을 쳤다. 우두머리가 날면 일제히 날아올라서 그 소리 또한 대단했다. 조용하던 저수지가 비로소 살아난 것처럼 느껴질 정도였다.

초록머리는 잎싹을 떠나 무리에게 갔다. 그러나 그들은 초록머리를 탐탁하게 여기지 않았다. 들판에서 자란 초록머리에게 집오리 냄새가 날 리 없는데도 청둥오리들은 초록머리를 경계했다. 끈 때문이었다. 발에 매인 끈이 사람에게서 도망친 오리라는 인상을 주었던 것이다.

잎싹은 비탈을 떠나지 않았다. 족제비들은 청둥오리만을 노렸고, 갈대밭을 내려다보기에 그만한 장소가 없었기 때문이다.

초록머리는 무리에 끼려고 무척 애를 썼다. 그들이 무관심해도 열심히 따라다녔고, 함께 잤다. 맨 바깥쪽 위험한 곳도 마다하지 않았다.

무리와 떨어져 앉은 초록머리, 혼자 헤엄치는 초록머리를 지켜보는 일이 안타까웠지만 잎싹은 도울 수도 없었다.

잎싹은 항상 초록머리가 특별하다고 믿었다. 집오리들에 비하면 분명히 그랬다. 그러나 초록머리는 청둥오리들처럼 잘 날지 못했다. 그들보다 몸이 굼떴고, 오래 날 때에는 뒤로 처졌다.

"끈 때문이야. 잘라 냈으면!"

잎싹은 마음이 안타까울 때마다 중얼거렸다.

잎싹은 논에 쌓인 짚가리를 뒤져서 낟알을 찾아 먹고 비탈의 바위굴로 돌아오곤 했다. 바위굴은 아늑해서 밖에 서리가 내려도 춥지 않게 잘 수 있었다. 갈대밭을 누비는 족제비들의 움직임도 볼 수 있었다.

"녀석들이 일을 낼 셈이구나."

족제비들은 눈이 내린 뒤부터 사냥하는 데 애를 먹고 있었다. 가을이 지나고 겨울이 되는 동안 어리고 약한 청둥오리들을 대부분 사냥했기 때문이다. 건강한 청둥오리들은 만만찮은 상대였다.

굶주린 족제비들이 날랜 동작으로 따라다녔지만 요즘에는 이틀에 한 마리를 잡기도 어려웠다. 어쩌다 사냥을 하면 조금이라도 더 먹으려고 으르렁거리며 저희끼리 물어뜯는 날도 있었다. 그 중에 둘은 더 나은 사냥터를 찾아 떠났지만 애꾸눈 족제비와 다른 한 마리는 남았다.

잎싹은 무리의 바깥쪽에서 자는 초록머리가 늘 걱정스러웠다. 사냥이 시작되면 초록머리가 먼저 당할지 모른다. 게다가 발에 매인 끈이 얼마나 거추장스러운가.

"아가, 오늘 밤에는 깊은 잠에 빠지지 마라. 녀석들은 이틀이나 굶었어."

잎싹은 옆에 초록머리가 있기라도 한 것처럼 중얼거렸다. 그리고 비탈에 서서 쓰러진 갈대 덤불로 숨어드는 족제비들을 눈여겨보았다. 청둥오리들은 아직 저수지에서 헤엄을 치는 중이었다.

눈이 내리기 시작했다. 잎싹은 눈을 맞으며 오락가락했다. 족제비들이 숨어 있는 마른 풀 위에도 눈이 쌓이고 갈대밭에도 눈이 쌓였다.

청둥오리들이 하나 둘 물에서 나와 몸을 단장하기 시작했다. 그리고 우두머리를 시작으로 해서 일제히 날아올라 저수지를 돌고 야산을 넘어갔다. 그렇게 날면서 좋은 잠자리를 고르기도 하지만 청둥오리들은 대개 갈대밭으로 돌아왔다.

잎싹은 초록머리를 찾아보려고 눈을 가늘게 떴다. 그러나 눈이 내려서 길게 늘어진 끈조차 볼 수가 없었다. 끈이 아니면 잎싹도 초록머리를 알아볼 수가 없었다.

'그 애는 항상 귀를 열어 둘 거야. 사냥꾼에 대해서 알 만큼 아니까.'

그렇게 생각해도 마음이 놓이는 건 아니었다. 잎싹은 바위굴에 들어가 엎드렸다. 청둥오리 무리가 다른 곳에 잠자리를 정하면 좋겠다. 논의 짚가리나 야산의 덤불 속 어디든지.

배가 고팠다. 족제비들을 살피느라 종일 아무것도 먹지 못했다. 하지만 참을 만했다. 그 동안 아주 조금만 먹거나 먹지 않고 생활하는 습관이 생겼는데, 몸이 마르고 털이 빠졌을 뿐 그다지 괴롭지는 않았다.

눈송이가 점점 굵어졌다. 바위굴 입구에도 눈이 쌓여서 밖이 보이지 않게 되었다. 그래도 잎싹의 귀는 굴 밖의 소리를 다 들을 수 있었다.

"녀석들은 굶주림 때문에 미칠 지경일 거야."

청둥오리가 밤잠을 설쳐 가며 춤추고 소리치던 모습이 생각났다. 청둥오리는 알을 지키려고 자기가 할 수 있는 모든 일을 했다.

"나는 엄마야. 그 애가 잡히게 놔 둘 수는 없어."

잎싹은 눈을 밀어 내고 밖으로 나왔다.

청둥오리 떼가 돌아오고 있었다. 오늘도 갈대밭을 선택한 모양이었다. 눈을 피하려면 갈대가 우거진 곳을 찾을 텐데, 그런 곳에는 벌써 족제비가 숨어서 기다리고 있었다.

회색빛 하늘을 한 바퀴 돌고 나면 잠자리에 내려앉을 것이다. 서둘러야 했다. 잎싹이 비탈을 향해 뛰어가는데 갑자기 눈보라가 쳤다. 잎싹은 눈을 질끈 감았다. 그런데 눈을 뜨고 보니까 초록머리가 앞에 있는 게 아닌가!

"아가!"

얼마나 반가웠는지 잎싹은 날개를 벌려 초록머리를 맞았다.

초록머리는 지치고 슬퍼 보였다. 그러나 날개의 힘은 눈보라를 일으킬 만큼 훨씬 강해져 있었다.

그 때였다. 갑자기 갈대밭에서 아우성치는 소리가 났고, 청둥오리 떼가 일제히 날아올랐다. 초록머리가 놀라서 비탈 끝으로 갔다.

"사냥이다!"

잎싹과 초록머리는 어둠 속에서 들려 오는 짧은 비명 소리를 묵묵히 들었다. 오늘 밤에는 족제비가 배를 채우는가 보다. 가

없은 목숨이 무리에게 편안한 밤을 선물했다. 잎싹은 초록머리가 무사한 것에 감사했다.

"도저히 못 견디겠어. 그냥 엄마랑 살고 싶어."

초록머리가 잎싹에게 다가와 머리를 기댔다.

"내 또래는 잘 때 어른들 안쪽에서 자. 하지만 나는 파수꾼보다 밖에서 자야만 해. 다 같이 날 때도 어디에 있어야 할지 모르겠어. 어른 옆에 있으면 버르장머리 없다고 꾸중하고, 뒤에 있으면 흉을 봐."

잎싹은 안타까운 마음으로 초록머리의 푸념을 들어 주었다.

"나는 어디서나 외톨이야. 꼭 이렇게 살아야 할까? 이제는 노력하고 싶지 않아. 엄마랑 있을 때가 행복하다는 걸 알았어. 그래서 다시 왔어, 엄마."

야윈 몸을 보면 초록머리가 힘들게 지낸 것이 분명했다. 그러나 바람을 일으키는 날개를 보면서 잎싹은 이제 초록머리에게서 야생 오리 티가 제법 나는 것을 느꼈다. 그래서 어린애처럼 볼멘소리를 해도 묵묵히 듣기만 했다.

초록머리가 먼저 바위굴로 들어갔다. 기다란 끈을 끌면서. 눈 위에 발자국이 찍히고 긴 줄이 그어졌다. 그것 때문에 초록머리가 더욱 지쳐 보여서 잎싹은 몹시 마음이 아팠다.

"푹 자렴."

잎싹은 웅크린 초록머리에게 속삭였다.

눈이 쌓여서 바위굴 입구를 막았다. 그래서 안이 더 따뜻했다. 초록머리는 이내 코를 골았지만 잎싹은 잘 수가 없었다. 오늘 밤에는 초록머리의 발에 매인 끈을 없애 주고 싶었다.

끈을 밤새도록 쪼아 댔더니 새벽이 되었을 때는 부리가 얼얼해서 벌릴 수도 없을 지경이었다. 머리가 몹시 어지러웠다. 하지만 끈은 금방이라도 끊어질 듯 너덜너덜해졌다.

잠에서 깬 초록머리가 그것을 보고 눈물을 글썽거렸다. 초록머리가 발 쪽의 끈을 물고, 잎싹이 다른 쪽을 물고 잡아당기자 끈이 마침내 끊어졌다. 매듭을 풀지 못해서 고리를 찬 것처럼 끈이 남기는 했지만 거추장스럽지는 않았다.

잎싹은 너무나 지치고 아파서 바닥에 엎드려 일어나지 못했다. 초록머리가 잠자코 머리맡을 지키다가 눈을 밀어 내고 밖으로 나갔다. 잎싹은 초록머리가 훨훨 날아가는 모습을 보면서 잠이 들었다.

얼마쯤 지났을까.

"엄마, 자고 있을 때가 아냐."

초록머리가 잎싹을 흔들어 깨웠다. 간신히 눈을 뜨고 일어나자 초록머리가 맛있어 보이는 물고기를 주었다. 그리고 눈을 동그랗게 뜨고 말했다.

"누가 사냥감이었는지 알아? 둘이나 당했대. 하나는 잠자리를 찾는 길잡이고, 하나는 파수꾼이래!"

족제비들이 독을 단단히 품고 달려들었던 모양이다. 기회를 엿보지 않고 먼저 내려앉은 길잡이와 파수꾼을 덮친 걸 보면.

잎싹은 물고기를 쪼아 먹었다. 초록머리가 없다면 도저히 한 겨울에 맛볼 수 없는 훌륭한 먹이였다.

"잘 먹었어. 맛있구나."

초록머리가 활짝 웃었다. 잎싹도 미소를 지었지만 마음은 울적했다.

"끈을 잘라서 얼마나 기쁜지 몰라. 그런데 발목의 끈은 어쩔 수 없어. 그건 내 아기라는 정표로 그냥 두자. 나그네들 속에서 너를 알아볼 수 있게."

"엄마, 내가 떠나길 바래?"

잎싹은 초록머리의 눈을 들여다보며 고개를 끄덕였다.

"물론 가야지. 네 족속을 따라가서 다른 세상에 뭐가 있는지 봐야 하지 않겠니? 내가 만약 날 수 있다면 절대로 여기에 머물지 않을 거다. 아가, 너를 못 보고 어떻게 살지 모르겠다만, 떠나는 게 옳아. 가서 파수꾼이 되렴. 아무도 너만큼 귀가 밝지 못할 거야."

"나는 안 떠나."

금방이라도 울 것처럼 초록머리가 잎싹의 날갯죽지에 머리를 묻었다.

"하고 싶은 걸 해야지. 그게 뭔지 네 자신에게 물어 봐."

"엄마가 혼자 남을 텐데. 마당에 갈 수도 없고."

"나는 괜찮아. 아주 많은 걸 기억하고 있어서 외롭지 않을 거다."

초록머리가 소리를 죽여 울었다. 잎싹은 가만가만 등을 어루만져 주었다. 더 이상 무리에서 따돌림당하지 않도록 더 노력하라는 말을 해 주고 싶었지만 목이 메어 말이 나오지 않았다.

"어쩌면 사냥꾼 때문에 잠자리를 옮길지도 몰라. 물 건너 야산으로 간다는 말을 들었는데, 그러면 엄마를 오랫동안 못 볼지도 몰라."

초록머리가 우물우물 말하는 것을 잎싹은 조용히 듣기만 했다. 그럴 거라고 짐작은 했지만 초록머리의 마음이 무리를 떠난 적이 없다는 것을 깨닫자 참기 어려울 만큼 허전했다. 서 있는 것조차 힘들었다.

"엄마는 나랑 다르게 생겼지만, 그렇지만, 엄마 사랑해요."

말을 마치자마자 초록머리가 서둘러 굴에서 나갔다. 잎싹은 발이 떨어지지 않아서 그대로 있었다. 초록머리가 돌아서서 다시 한 번 잎싹을 보았다. 잎싹은 얼른 뒤따라갔다. 그러나 이미 초록머리는 날아오르고 있었다. 초록머리는 바위굴을 한 바퀴 돌고 저수지로 날아갔다.

잎싹은 비탈에 서서 제 족속에게 떠나가는 초록머리를 놓치지 않고 바라보았다. 빈 껍데기만 남은 기분이었다.

　겨울이 저물어 가고 있었다. 응달에 녹지 않은 눈이 그대로 있어도 양지쪽에는 쑥과 개망초가 싹을 틔우기 시작했다. 살짝 언 것이기는 해도 오랜만에 푸성귀를 먹는 기분이 아주 그만이었다.

　잎싹은 겨우내 떠돌이로 지냈다. 겨울 들판에 먹을 것이 없어서 족제비가 더욱 예민해졌기 때문이다. 갈대밭, 바위굴, 쓰러진 나무 밑, 논의 짚가리 속, 썩은 나룻배 속을 옮겨 다니며 족제비와 마주치지 않도록 신경을 쓸 수밖에 없었다. 그 중에 가장 괜찮은 잠자리는 먹이가 있는 짚가리 속이었지만 들쥐와 벼

룩이 많아서 오래 머물기 어려웠다.

　족제비도 떠돌이로 살기는 마찬가지였다. 양계장에 불독이 새 문지기로 온 뒤부터 족제비의 굶주림은 심각했다. 사냥감이 줄어들자 다른 족제비들은 모두 떠났다. 하지만 애꾸눈 족제비는 남았다. 길잡이와 파수꾼을 잃고도 청둥오리들이 가끔 갈대밭에 잠자리를 마련하기 때문이었다. 눈 쌓인 벌판을 헤매는 족제비에게 청둥오리는 단념할 수 없는 기름진 먹이였다.

　사냥감은 아직도 초록머리였다. 사실 초록머리를 해치우지 못한다면 족제비는 어떤 청둥오리도 사냥할 수 없을 것이다. 초록머리가 밤마다 무리를 지키기 때문이었다.

초록머리는 이제 어엿한 파수꾼이 되었다. 우렁찬 목소리, 빛나는 날개, 힘찬 날갯짓. 무리의 누구도 이제는 초록머리를 따돌리지 않았다.

청둥오리들이 돌아오지 않으면 족제비는 눈에 불을 켜고 잎싹을 찾아다녔다. 털이 숭숭 빠지고 비쩍 말랐어도 들판에 그만한 먹이가 없었으니까. 그러나 족제비는 잎싹을 번번이 놓쳤다. 웬일인지 전처럼 날쌔게 움직이지 못하고 몸이 굼떴기 때문이다.

따뜻한 바람이 불어 왔다. 저수지에 얼음이 녹자 청둥오리들이 활기차게 헤엄쳐 다녔다. 잎싹은 저수지 가장자리를 거닐었다. 좀더 가까운 곳에서 초록머리를 보고 싶어서였다.

집오리들도 모처럼 나들이를 나왔다. 겨우내 헤엄을 치지 못한 오리들이 물을 보자마자 앞을 다투어 뛰어들었다. 잎싹을 본 우두머리가 점잖게 인사를 건넸다.

"겨울 나기가 어려웠던 모양이군. 너무 말랐어, 쯧쯧."

잎싹은 조용히 미소만 지었다. 헛간에서 피둥피둥 살만 찐 오리들이 조금도 부럽지 않았다.

우두머리가 너그러운 얼굴로 말했다.

"하지만, 왠지 좋아 보이는걸. 내 말은, 모양새는 뭐 그저 그런데, 뭔가……."

설명하기 어려운지 우두머리가 날개를 으쓱했다.

"헛간의 암탉과는 다른 것 같아. 훨씬 당당해진 것 같고, 우아하고. 참 이상도 하지. 깃털이 숭숭 빠졌는데도 그렇게 보이다니!"

그 말은 칭찬처럼 들렸다. 우두머리가 물에 들어가려고 깃털을 매만지다가 물었다.

"그 애는? 안 보이는데 혹시……."

혹시 죽은 건 아니냐고 묻는 거였다. 잎싹은 때마침 힘차게 날아오르는 초록머리를 가리켰다. 우두머리가 놀랍다는 듯 눈을 가늘게 뜨고 초록머리를 쳐다보았다. 그리고 잎싹을 향해 고개를 조금 숙여 존경을 표시했다.

잎싹은 흐뭇한 마음으로 천천히 거닐었다. 걷다 보니 갈대밭에서 조금 떨어진 곳까지 왔다. 키 작은 버드나무 아래를 지날 때였다. 마른 풀 속에서 이상한 소리가 났다. 귀를 기울이자 소리가 더욱 확실하게 들렸다. 가냘프게, 숨가쁘게 칭얼대는 아기 소리.

잎싹은 마른 풀 속으로 얼굴을 디밀었다. 컴컴해서 잠시 동안 아무것도 보이지 않았다. 하지만 곧 어둠에 익숙해져서 잎싹은 그 곳이 은밀한 굴이라는 사실을 알게 되었다. 어둠 속에서 아주 작은, 눈도 못 뜬 어린것들이 몸을 맞대고 꿈틀거리고 있었다.

"뭐지? 누구 아기일까?"

별안간 가슴이 두근거리기 시작했다. 네 발 가진 아기였다.

잎싹은 서둘러 그 곳을 떠났다. 공연히 의심받으면 위험해지기 때문이었다. 하지만 궁금했다. 어째서 눈도 못 뜬 아기들만 있을까? 저러다가 죽는 건 아닐까? 저맘때의 아기는 어미가 없으면 죽는다는 것을 잎싹은 잘 알고 있었다.

잎싹은 비탈에 올라가서 은밀한 굴을 찾아가는 어미를 보려고 기다렸다. 그러나 아무도 그 곳으로 가지 않았다. 저녁이 되어 집오리들이 저수지를 떠나고 청둥오리 떼가 일제히 날아오를 때까지도 아기를 만나러 가는 어미는 없었다.

잎싹은 아기들이 염려스러웠다. 혹시 어미가 죽은 건 아닐까? 그렇다면 누군가 아기를 키워야 하지 않을까?

청둥오리 떼가 야산을 넘어갔다가 돌아오는 소리가 났을 때에야 잎싹은 정신을 차렸다.

"정말 오랜만에 가까이 오는구나."

잎싹은 초록머리가 보고 싶어서 갈대밭을 내려다보았다. 그런데 거기에 족제비가 먼저 와 있는 게 아닌가! 길잡이와 파수꾼을 사냥했던 날처럼 족제비는 덤불 속에 감쪽같이 숨어 있었다.

잎싹은 바짝 긴장했다. 가장 먼저 내려앉는 게 길잡이나 파수꾼이라면 초록머리가 바로 사냥감이었다.

"녀석을 못 본 지 꽤 됐어. 그 동안 굶었다면 독이 오를 대로 올랐을 거야!"

청둥오리 떼가 저수지 위를 돌고 있었다. 머뭇거릴 사이가 없었다.

잎싹은 날개를 퍼덕이며 비탈을 내려갔다. 날 수 있다면 얼마나 좋을까. 짧은 다리로 종종거리지 않고 훨훨 날 수만 있다면. 아, 이 쓸모 없는 날개!

"이 못된 놈!"

잎싹은 비탈에서 데굴데굴 굴렀다. 마른 풀과 나무에 사정없이 긁혔지만 아픈 줄도 몰랐다. 오로지 초록머리가 내려앉기 전에 갈대밭으로 가야 한다는 생각뿐이었다.

"봐라! 내가 여기 있다!"

잎싹은 벼락같이 소리치며 달려갔다. 깃털이 죄다 헝클어지고 검불이 붙어서 꼴은 우스웠지만 목소리만은 사납기 이를 데 없었다.

족제비가 알아채고 벌떡 일어났다. 잎싹이 훼방놓으면 사냥을 망친다는 것쯤은 족제비가 더 잘 알았다. 그래서 무척 화가 나서 으르렁거리며 다가왔다. 족제비의 눈이 분노로 번득였다.

잎싹도 단단히 각오를 하고 맞섰다. 도대체 며칠이나 굶었는지 족제비는 가엾을 정도로 말랐다. 바람처럼 달려들던 옛날 사냥꾼의 모습이 아니었다. 게다가 언뜻 보인 배와 젖꼭지!

'아, 그랬구나!'

잎싹은 머리가 아찔했다. 눈 덮인 벌판에서 사냥꾼이 무얼 먹고 그렇게 배가 불렀는지, 왜 그렇게 몸이 굼떴는지 궁금했는데 그것이 한순간에 이해가 되었다. 은밀한 굴 속의 어린것들, 배가 고파서 낑낑대던 네 발 가진 아기들의 어미가 바로 족제비였던 것이다.

청둥오리 떼가 내려앉으려 하고 있었다. 잠자리를 탐색하려고 청둥오리 한 마리가 먼저 내려왔다. 잎싹은 청둥오리의 발목에 끈이 매달린 것을 보았다. 초록머리였다.

"재수 없는 암탉! 꺼져라!"

족제비가 이빨을 드러냈다. 어떻게든 족제비의 관심을 돌려야만 했다. 잎싹은 재빨리 물러서며 경고했다.

"네 멋대로 해라. 나는 네 새끼들에게 간다!"

잎싹은 버드나무를 향해 내달렸다. 뒤늦게 위험을 알아차린 족제비가 뒤쫓아왔다. 잎싹은 부리를 악물고 달렸다. 아무리 기운이 빠졌어도 족제비는 날랜 사냥꾼이었다. 하마터면 덜컥 목을 물릴 뻔했다.

버드나무 아래, 굴 속으로 먼저 들어간 잎싹은 몸을 맞대고 있는 어린것들을 움켜쥐었다. 아직 털도 나지 않은 살덩이였다. 잎싹은 정말 그렇게 하고 싶지 않았다. 옳은 일이 아니었다. 하지만 지금은 다른 방법이 없었다.

족제비는 하나뿐인 눈으로 애원하듯 바라보았다. 잎싹과 족제비는 가쁜 숨이 멎을 때까지 서로 노려보기만 했다. 발 아래에서 어린것들이 자지러지게 울어 댔다. 그 소리 때문에 족제비의 표정은 비참할 정도로 일그러졌다. 주변을 맴돌면서 온갖 짓을 다 한 사냥꾼이 지금 잎싹의 발 밑에 굴복하고 있는 셈이었다.

"제발, 조심해. 아직 눈도 못 떴어."

족제비가 떨리는 목소리로 부탁했다. 그러나 잎싹은 고개를 저었다.

"너도 우리를 놔 줘야 할 때가 많았어. 하지만 안 그랬잖아. 뽀얀 오리도, 나그네도, 나와 내 아기까지. 기회가 있을 때마다!"

"어쩔 수 없었어. 배고팠을 때 하필 눈에 띄었을 뿐이야. 굶지 않으려고 그랬어. 우리는 지금도 배가 고파."

"하필이면 눈에 띄었을 뿐이라고? 아냐, 넌 항상 우리를 못 잡아먹어서 안달이었어. 그러니까 나도 너의 소중한 새끼들을 해치겠어! 그래야 공평하지."

"아아, 그러지 마. 그건 공평한 게 아냐. 너는 배가 고픈 게 아니잖아. 나는 배가 고프면 사냥을 해. 먹을 만한 것이라면 뭐라도."

"나는 평생을 너한테 쫓기면서 살아온 기분이야. 지치고 슬픈 적이 많았어."

"믿을 수 없어. 너처럼 운 좋은 암탉이 또 있을까? 나는 번번

이 너를 놓쳤고, 너는 그 동안 많은 일을 했잖아. 나야말로 지쳤
어. 발바닥이 부르트도록 따라다녔으니 오죽하겠어."

"어쨌든⋯⋯."

잎싹은 잠시 생각했다. 족제비의 말은 틀리지 않았다. 죽을
고비를 넘겼을 뿐 죽지는 않았으니까.

잎싹은 날카로운 발톱에 눌린 어린것들이 가엾었다. 그 보드
라운 살갗에서 금방이라도 피가 날 것만 같았다. 그래서 족제비
가 눈치채지 못하게 새끼를 살짝 놓았다.

"다른 먹이를 찾으면 내 아기를 건드리지 않을 수 있어?"

"물론이지!"

"약속할 수 있어? 내가 만약 먹이가 있는 곳을 가르쳐 준다면?"

족제비가 얼른 고개를 끄덕였다.

"다른 먹이가 있다면, 약속해. 너의 아기는 건드리지 않는다!"

잎싹도 고개를 끄덕였다.

"나는 늙었지만 발톱과 부리만큼은 아직도 쓸 만해. 그건 너도 경험해서 알 거야. 만약 약속을 어긴다면 너의 아기들도 애꾸가 될지 몰라."

잎싹은 족제비에게 논에 있는 짚가리를 알려 주었다. 겨우내 살찐 들쥐 무리가 비좁은 잠자리 때문에 날마다 싸운다는 말에 족제비의 눈이 기쁨으로 빛났다. 그러나 못미더운지 굴 앞을 떠나지 못하고 머뭇거렸다.

"네가 먼저 가면 나도 가겠어."

그 말을 듣고 나서 족제비가 마지못해 자리를 떴다.

잎싹은 추위와 배고픔에 떨고 있는 아기들을 물끄러미 보았다. 족제비도 어쩔 수 없는 어미라는 것을 알자 측은한 생각이 들었다.

어두워지는 들판. 그 속을 뚫고 어미가 달려가고 있었다. 눈도 못 뜬 새끼들 때문에 곧 돌아와야 하는, 바람처럼 재빠르지 않으면 살 수 없는 어미. 고달픈 애꾸눈 사냥꾼.

아카시아꽃처럼 눈이 내릴 때

햇볕이 모이는 곳마다 파릇한 싹이 돋아서 봄이 다 된 것 같았다. 야산에 있는 산수유나무에는 노란 꽃까지 피었다.

잎싹은 매일 저수지 가장자리를 거닐었다. 그러나 초록머리는 단 한 번도 헤엄쳐 오지 않았다. 파수꾼이 무리를 떠날 수 없다는 걸 이해하지만 섭섭하고 우울한 기분을 달래기는 어려웠다.

'너무 오랫동안 만나지 못했어.'

며칠 동안 좋던 날씨가 갑자기 나빠졌다. 바람도 차가웠고 하늘은 잔뜩 흐려서 눈이 쏟아질 것 같았다. 잎싹의 몸도 날씨만큼이나 좋지 않았다.

온종일 거닐다가 지쳐서 잎싹은 비탈로 돌아왔다. 요즘에는 죽 비탈의 굴 속에서만 지냈다. 그나마 초록머리를 눈여겨볼 수 있는 곳이기 때문이었다. 그리고 이제는 늙어서 한 곳에 머물고 싶었다. 족제비가 얼씬거린다는 것을 알지만 더 이상 달아날 기운도 없었다.

늙으면 생각이 깊어지는 걸까. 잎싹은 족제비를 동정하게 되었다. 아기들이 딸려서 겨울 나기가 여간 힘겹지 않을 테니까.

'아무래도 내일은 저수지에 나갈 수 없을 것 같아.'

잎싹은 비탈 끝에 엎드린 채 차가운 바람을 맞았다. 이따금 깃털이 빠져서 바람에 날아가곤 했다. 사나운 바람이 살을 에는 듯해도 굴 속으로 가는 일이 귀찮았다. 몸이 나른한 게 잠이 오는 것 같아서 잎싹은 눈을 가늘게 뜨고 저수지를 내려다보았다.

오후가 되면서 청둥오리 떼의 행동이 분주해졌다. 우두머리를 중심으로 모여서 제각기 목청을 돋우고 있는데 왠지 다른 날보다 들뜨고 수선스럽게 들렸다. 북쪽의 겨울 나라로 떠나려고 채비하는 것인 줄 잎싹이 알 리가 없었다.

바람이 점점 더 거세졌다. 야산을 빠져 나온 바람이 메마른 들판을 할퀴며 돌아다녔다. 가랑잎이 날리고 갈대들이 바스락거렸다. 청둥오리 떼는 날개를 퍼덕거리고, 배고픈 족제비는 기회를 엿보며 주변을 맴돌고 있었다.

우두머리가 힘차게 날아올랐다. 그러자 열을 맞춘 듯이 다른 청둥오리들도 차례차례 날아올랐다. 그들이 저수지와 야산을 한 바퀴 돌 때 잎싹은 고개를 젖히고 쳐다보았다. 그 가운데 한

마리가 무리에서 떨어지더니 비탈을 향해서 낮게 날아왔다. 잎싹은 자기도 모르게 일어섰다.

"초록머리, 내 아가!"

잎싹은 날개를 활짝 벌리고 초록머리를 맞으려고 했다. 그러나 초록머리는 잎싹의 머리 위를 잠시 돌았을 뿐 내려앉지는 않았다. 마치 인사를 하듯이 가까이 다가와서 날개를 스치며 "엄마!"를 외친 게 전부였다. 그 소리가 바람에 실려서 사방으로 퍼져 나갔다.

잎싹은 초록머리가 일으키는 바람을 맞으며 멍하니 서 있었다. 그러다가 뒤늦게야 그것이 마지막 인사라는 걸 알아차렸다.

'떠난다고……'

언젠가 이런 날이 올 줄은 알았다. 그렇지만 충분히 말을 나누지도 못했는데, 인사조차 하지 못했는데.

초록머리가 다시 높이 날아올랐다. 그리고 멀어진 무리를 뒤따라가느라 힘차게 날갯짓을 했다. 언젠가 말하려고 간직했던 많은 이야기가 한꺼번에 솟구쳐 올라왔다. 그런데 그것들은 단 한 마디의 말도 못 되고 그저 울음으로 터져 버렸다.

'초록머리가 나를 두고 가는구나!'

하늘을 가렸던 청둥오리 떼가 서서히 멀어지고 그 소리도 희미해졌다. 먼 산과 하늘 사이로 청둥오리 떼가 점점 사라지고 있었다. 마치 하늘 저쪽에 그들을 빨아들이는 다른 세상이 있는 것 같았다.

갑자기 세상이 너무나 조용해졌다. 살아 있는 것들은 모두 하늘 저쪽으로 빨려 가고 이쪽에는 껍데기만 남은 듯했다. 잎싹은 숨쉬기가 힘들었다. 숨쉴 때마다 심장이 따라 들썩거리는 것처럼 고통스러웠다.

'나도 가고 싶다! 저들을 따라서 날아가고 싶다!'

잎싹의 생각은 숨쉬는 것만큼이나 간절했다. 혼자 남는다는 게 너무나 싫고 두려웠다.

어느 틈에 족제비가 다가와 있었다. 하지만 혼자가 되는 것보다 무섭지는 않았다. 잎싹은 눈을 지그시 감고 중얼거렸다.

"한 가지 소망이 있었지. 알을 품어서 병아리의 탄생을 보는 것! 그걸 이루었어. 고달프게 살았지만 참 행복하기도 했어. 소망 때문에 오늘까지 살았던 거야. 이제는 날아가고 싶어. 나도 초록머리처럼 훨훨, 아주 멀리까지 가 보고 싶어!"

잎싹은 날개를 퍼덕거려 보았다. 그 동안 왜 한 번도 나는 연습을 하지 않았을까. 어린 초록머리도 저 혼자 서툴게 시작했는데.

"아, 미처 몰랐어! 날고 싶은 것, 그건 또 다른 소망이었구나. 소망보다 더 간절하게 몸이 원하는 거였어."

빈 하늘을 바라보는 동안 잎싹은 지독하게 외로웠다.

족제비의 눈이 잎싹에게 박힌 듯이 움직일 줄 몰랐다. 그러나 잎싹의 눈은 하늘 끝을 보려는 듯 점점 더 가늘어질 따름이었다.

눈발이 흩날리기 시작했다. 바람에 나부끼는 눈을 보는 동안 잎싹의 입가에 미소가 번졌다.

'아, 아카시아꽃이 지는구나!'

잎싹의 눈에는 흩날리는 눈발이 마치 아카시아 꽃잎처럼 보였다. 떨어지는 꽃잎을 온몸으로 맞고 싶어서 잎싹은 날개를 활짝 벌렸다. 향기를 맡고 싶었다. 기분이 아주 좋았다. 춥지도 않고 외롭지도 않았다.

"캬악!"

날카로운 소리가 났다. 순간 모든 것이 사라졌다. 아카시아 꽃잎도, 향기도, 부드러운 바람까지도. 잎싹의 앞에는 굶주린 족제비가 있을 뿐이었다.

"그래, 너로구나."

잎싹은 퀭한 족제비 눈을 보면서 물컹하던 어린것들을 떠올렸다. 부드럽게 느껴지던 살덩이. 왠지 그 살덩이가 잎싹이 마지막으로 낳았던 알처럼 느껴졌다. 단단한 껍데기도 없이 나와서 마당에 던져졌던 알. 너무나 가엾어서 가슴이 긁히듯이 아프던 기억. 또다시 온몸이 뻣뻣해지려고 했다.

이제는 더 도망칠 수가 없었다. 그럴 까닭도 없고 기운도 없었다.

"자, 나를 잡아먹어라. 그래서 네 아기들 배를 채워라."

190

잎싹은 눈을 감았다. 순간 목이 콱 조였다. 무척 아플 줄 알았는데 오히려 뼈마디가 시원해지는 느낌이었다.

'나를 물었구나, 드디어······.'

눈앞이 캄캄했다. 언젠가 들판에서 이런 기분을 느낀 적이 있었다. 뽀얀 오리의 비명 소리를 들었을 때였던가. 눈앞이 캄캄하더니 아주 서서히 붉은빛이 느껴졌었다. 바로 지금도 그 때처럼 눈앞이 온통 붉었다.

눈앞이 차츰 밝아지기 시작했다. 눈을 뜨자 눈부시게 파란 하늘이 보였다. 정신도 말끔하고 모든 게 아주 가붓했다. 그러더니 깃털처럼 몸이 떠오르는 게 아닌가! 크고 아름다운 날개로 바람을 가르며 잎싹은 아래를 내려다보았다.

그랬다. 모든 것이 아래에 있었다. 저수지와 눈보라 속의 들판, 그리고 족제비가 보였다. 비쩍 말라서 축 늘어진 암탉을 물고 사냥꾼 족제비가 힘겹게 걸어가고 있었다.

소망을 굳게 간직하고 실천하는 암탉 이야기

김서정(아동문학 평론가)

〈마당을 나온 암탉〉에는 세 종류의 암탉이 있습니다. 하나는 철망에 갇힌 채 배부르게 먹고 품지도 못할 알을 낳으면서 아무 생각 없이 살아가는 암탉입니다. 다른 하나는 마당에서 수탉과 병아리와 함께 만족스럽게 살면서 혹시라도 누가 끼어들어 그 생활을 흐트러뜨리지 않나 전전긍긍하는 암탉입니다. 나머지 하나는 알을 품어 병아리를 탄생시키겠다는 소망을 굳게 간직하고 결국은 실천하는 암탉입니다. 소망을 갖고 있는 암탉은 그 많은 닭 중에 단 한 마리 잎싹뿐이고, 이 이야기의 주인공은 바로 그 잎싹입니다.

주인공. 멋진 말이지요? 세상에 주인공이 되기 싫은 사람이 있을까요? 하지만 주인공이라는 말의 뜻을 곰곰이 생각해 볼 필요가 있습니다. 무대에 서는 가수나 연기자처럼 다른 이들의 시선을 한몸에 받는 사람만 주인공이라고 하는 것은 아닙니다. 오히려 진짜 주인공은 남들이 자기를 알아주거나 칭찬해 주지 않아도 자기 삶을 자기 뜻대로 용감하게 열심히 살아가는 사람입니다. 바로 잎싹처럼 말이에요.

양계장에서 주는 대로 먹고 알이나 쑥쑥 낳아 주면서 살면 얼마나 편할까요. 하지만 그렇게 사는 건 암탉으로서의 삶이 아니라고 잎싹은 생각합니다. 암탉으로 태어났으니까 암탉답게 살겠다는 게 잎싹의 다짐입니다. 그래서 잎싹은 배불리 먹을 수 있는 양계장을 나왔습니다.

잎싹은 마당에서 수탉과 함께 병아리를 키우면서 사는 암탉처럼 살고 싶었습니다. 그러나 그건 불가능한 일이었습니다. 그런 삶은 애초에 잎싹의 몫이 아니었습니다. 억울하기는 하지만, 안 되는 건 안 되는 거지요. 그렇다고 해서 잎싹은 포기하지 않았습니다. 다른 길을 찾아 냈고, 그 길을 가기 위해 안전한 마당을 떠났습니다.

그렇게 잎싹은 자기 인생의 주인공이 되었습니다. 그건 보통 힘든 일이 아니었습니다. 굶주려야 했고, 추위에 떨어야 했고, 다른 동물들의 따돌림에 외로움을 견뎌야 했고, 족제비의 위협 앞에서 몇 번이고 죽음을 무릅써야 했습니다. 그렇게 힘겹게 살면서도 얻은 것은 별로 없어 보입니다. 집도 없이 떠돌아다녀야 했고, 자기 알도 아닌 오리알을 품어 아기 오리를 키웠지만 아기 오리 초록머리는 동료인 야생 오리 떼에 섞여 잎싹을 떠났으니까요. 늙고, 비쩍 마르고, 털은 다 빠져 볼품없어진 잎싹은 결국 오랫동안 자기를 노려 왔던 족제비에게 잡아먹히고 맙니다.

그게 뭐야? 그게 무슨 주인공이야? 이런 생각이 드나요? 그렇다면 가만히 견주어 보세요. 양계장의 닭은 무슨 생각을 하면서 어떤 삶을 사는가? 마당에 사는 닭은? 마당을 나온 암탉 잎싹은? 그리고 그런 식으로 사람의 삶에 대해 생각해 보세요. 양계장 닭처럼 사는 사람, 마당의 암탉처럼 사는 사람, 잎싹처럼 사는 사람……. 세상에는 정말 여러 가지 삶이 있습니다. 나는 어떻게 살고 있는가, 어떻게 살고 싶은가를 생각해 보세요.

그렇습니다. 〈마당을 나온 암탉〉은 단순히 야생 오리를 키운 좀 기이한 암탉 이야기가 아닙니다. 나는 누구이며 어떻게 살아야 하는가 하는, 삶에 대한 기본적인 질문과 반성을 하게 만드는 이야기입니다.

아이들에게는 어렵다고요? 아닙니다. 나이가 몇이건 생활 환경이 어떻건 간에 그건 누구에게나 필요한 질문과 반성입니다. 정답이 따로 있는 것도 아니고 쉽게 대답할 수 있는 것도 아니지만 말예요. 여러분도 막연하게나마 그런 생각을 해 본 적이 있죠? 그런 생각을 좀더 깊이 가다듬고 발전시키게 만드는 것이 바로 동화, 그러니까 문학이 하는 일 가운데 하나입니다. 정답 없는 질문과 반성을 계속해서 하게 만드는 일. 아주 중요한 일이지요. 암탉으로서 내가 어떻게 살고 싶은지를 잎싹이 생각하고 결정하고 실천했듯이, 인간으로서 내가 누구이고 어떻게 살아야 하는지를 고민하는 일은 여러분의 몫입니다.

그것말고도 이 동화에는 중요한 읽을거리가 또 있습니다. 잎싹의 이야기에 재미있어하고, 긴장하고, 궁금해하고, 가슴아파하고, 그래서 여러 가지 생각을 하게 만드는 솜씨, 말하자면 문학적 장치입니다. 〈마당을 나온 암탉〉은 짜임새 있는 문학적 장치가 많은 동화입니다. 몇 가지만 찾아볼까요?

가장 눈에 띄는 점은 먹고 먹히는 이야기가 많다는 것입니다. 이 먹고 먹히는 이야기는 그저 배를 채우는 차원을 넘어서 삶과 죽음의 문제와 이어집니다. 하지만 먹는 일은 사는 일 그러니까 좋은 일, 먹히는 일은 죽는 일 그러니까 나쁜 일이라는 단순한 구분으로 끝나지 않고 복잡하게 얽혀 있습니다. 예를 들어 나그네 청둥오리는 족제비에게 잡아먹히지만, 그 죽음 덕분에 잎싹과 초록머리가 살아나갈 수 있었습니다. 잎싹은 죽으면서, 자기를 뜯어 먹을 족제비 새끼들이 왠지 자기가 마지막으로 낳았던 알처럼 느껴진다고 생각합니다. 또 잎싹이 잠자리를 잡아먹는 장면을 보세요. 홀쭉한 배에 눈만 커다란 잠자리를 먹고 싶지는 않지만 잎싹이 살기 위해서는 먹어야 합니다. 그래서 이 이야기를 읽고 나면 삶과 죽음, 먹는 자와 먹히는 자가 서로 얽히면서

순환하는 엄숙한 자연의 법칙에 숙연해집니다.

또 하나 주목해 볼 점은 잎싹이 사는 장소의 변화입니다. 양계장에서 마당으로, 마당에서 갈대밭으로, 마지막에는 하늘로. 아주 좁은 곳에서 한없이 넓은 곳으로 펼쳐집니다. 장소가 바뀔 때마다 잎싹은 원하는 것을 얻고, 더 자유로워지고 더 강해집니다. 하지만 또 그럴 때마다 어김없이 죽음의 위협도 따라옵니다. 대가 없이 얻을 수 있는 건 아무것도 없는 법이지요.

어디에 살건 잎싹의 자리는 늘 안전한 한가운데가 아니라 찬바람 불고 비 들이치고 외롭고 위험한 가장자리였습니다. 그러나 잎싹은 "군소리 없이 견디며" 지냈습니다. 아니, 오히려 바깥 세상을 볼 수 있어서, 초록머리를 지킬 수 있어서 스스로 가장자리를 찾아갔습니다. 소망은 그렇게 혹독한 자리에서 싹트고 자라나 꽃피울 때 더 아름다운 법이지요.

가장자리를 견뎌 낸 잎싹, 제 이름을 제가 지은 잎싹, 자기와 다르게 생긴 아기 오리를 지극한 사랑으로 키워 낸 뒤 놓아 보내 준 잎싹은 마침내 "눈부시게 파란 하늘"에서 "크고 아름다운 날개"로 바람을 가르며 날 수 있게 되었습니다. 양계장과 마당에서 살던 닭들도 그렇게 되었을까요? 아마 아닐 겁니다.

마당을 나온 암탉

2000년 5월 29일 1판 1쇄
2011년 9월 1일 1판 37쇄

글쓴이 : 황선미
그린이 : 김환영

편집 관리 : 아동청소년문학팀
디자인 : 김수미
제작 : 박홍기
마케팅 : 이병규, 이민정, 김선영

출력 : 한국커뮤니케이션
인쇄 : 천일문화사
제책 : 창림P&B

펴낸이 : 강맑실
펴낸곳 : (주)사계절출판사
등록 : 제 406-2003-034호
주소 : (우)413-756 경기도 파주시 교하읍 문발리 파주출판도시 513-3
전화 : 031)955-8588, 8558
전송 : 마케팅부 031)955-8595 | 편집부 031)955-8596
홈페이지 : www.sakyejul.co.kr | 전자우편 : skj@sakyejul.co.kr
독자카페 : 사계절 책 향기가 나는 집 http://cafe.naver.com/sakyejul
페이스북 : http://www.facebook.com/sakyejul | 트위터 : http://www.twitter.com/sakyejul

ⓒ 황선미, 김환영 2000

ISBN 978-89-7196-871-0 74810
ISBN 978-89-5828-471-0 (세트)